Princesa Adormecida

Obras da autora publicadas pela Galera Record

Princesa Adormecida
Cinderela Pop
Princesa das Águas

Paula Pimenta

Princesa Adormecida

23ª edição

Galera

RIO DE JANEIRO
2025

CIP-BRASIL. CATALOGAÇÃO NA PUBLICAÇÃO
SINDICATO NACIONAL DOS EDITORES DE LIVROS, RJ

P697 Pimenta, Paula
23ª. ed.   Princesa Adormecida / Paula Pimenta. – 23ª. ed. - Rio de
Janeiro: Galera Record, 2025.

ISBN 978-85-01-03420-5

1. Ficção juvenil brasileira. I. Título.

14-10863   CDD: 028.5
                                                                        CDU: 087.5

Copyright © 2014 Paula Pimenta

Todos os direitos reservados.
Proibida a reprodução, no todo ou em parte, através de quaisquer meios.
Os direitos morais do autor foram assegurados.

Texto revisado pelo novo Acordo Ortográfico da Língua Portuguesa.

Projeto gráfico e composição de miolo: Renata Vidal da Cunha

Direitos exclusivos desta edição reservados pela
EDITORA RECORD LTDA.
Rua Argentina, 171 – Rio de Janeiro, RJ – 20921-380 – Tel.: (21) 2585-2000.

Impresso no Brasil

ISBN 978-85-01-03420-5

Seja um leitor preferencial Record.
Cadastre-se e receba informações sobre nossos
lançamentos e nossas promoções.

Atendimento e venda direta ao leitor:
sac@record.com.br

EDITORA AFILIADA

*Para todas as minhas leitoras
que também sonham em viver
uma história de princesa.*

Era uma vez uma princesa. Ela era a mais bela do reino. Era também meiga, inteligente e talentosa.

Todos a admiravam. Todos queriam estar perto dela. Todos queriam fazê-la feliz, pois o seu sorriso iluminava o mundo inteiro.

Um dia, apareceu uma bruxa e resolveu dar um fim naquela felicidade toda.

A princesa caiu em um sono profundo e por isso o reino inteiro se entristeceu. Os dias ficaram nebulosos. As noites perderam as estrelas.

Mas ninguém contava com um detalhe: o coração da princesa ainda batia dentro de outro coração...

Então, de repente, ela acordou.

E trouxe cada um dos seus sonhos para a realidade.

• Prólogo •

Imagine acordar e descobrir que o mundo que você achava que era real nada mais é do que um sonho. E se todas as pessoas que você conheceu na vida simplesmente fossem uma invenção e, ao despertar, percebesse que não sabe onde mora, que nunca viu quem está do seu lado, e, especialmente, que não tem a menor ideia de onde foi parar o amor da sua vida.

Se alguma vez passar por isso, saiba que você não é a única.

Eu não sei a sua história, mas a minha é mais ou menos assim...

Primeira Parte

Capítulo 1

"*Este convite de casamento pode se parecer com dezenas de outros que você já viu, mas ele marca o início de um romance que por pouco não teve um final trágico. O documentário exibido a seguir se chama 'Princesa adormecida'. Prepare-se para se emocionar com essa história de amor da vida real.*"

Desliguei a televisão antes que a repórter começasse a expor a minha vida em uma época em que eu nem mesmo fazia parte dela. Como assim, "por pouco não teve um final trágico"?

Fui até a janela e vi a mesma paisagem que eu conhecia desde sempre, aquela que eu havia crescido olhando, sempre sonhando em ir além, desejando fugir, voar... Agora, 16 anos depois, o momento havia chegado. Mas por que de repente eu tinha aquela sensação de que o mundo havia crescido ali mesmo? Por que o meu quintal agora parecia suficiente para mim?

— Áurea, você desligou a TV? O documentário já vai começar, esqueceu?

Virei-me depressa ao ouvir meu nome verdadeiro na voz da minha mãe. Eu ainda não estava acostumada nem com ele nem com ela. E sentia um sobressalto no peito a cada vez que a via ao alcance das minhas mãos.

Fui até ela e a abracei.

— O que foi, querida? — ela perguntou, passando a mão no meu cabelo. — Está sentindo alguma coisa? Tudo bem com você?

Se eu estava sentindo alguma coisa? Que tal confusão, curiosidade, indignação, raiva e... algo mais que eu não conseguia identificar?

Mas eu sabia que não era a isso que ela estava se referindo, portanto tudo o que falei foi:

— Estou só meio cansada. O pessoal da emissora ficou de mandar um vídeo com o programa, acho que vou deixar pra assistir depois... Você se importa?

— Claro que não, bebê! — Ela me abraçou mais forte ainda. *Bebê*. Acho que, para a minha mãe, era difícil perceber que eu já não era mais criança; afinal, ela não tinha me visto crescer... — Descanse mesmo. A semana passada foi muito exaustiva, com todas as entrevistas e tudo o mais!

Concordei e fui em direção ao meu quarto, olhando cada detalhe daquela casa que eu havia aprendido a chamar de minha. Os meus tios sempre fizeram questão disso, de que tudo aquilo parecesse meu, e por isso deixaram que eu escolhesse a decoração, os móveis, as cortinas... Tudo para que eu me sentisse o mais à vontade possível naquele período que todos achavam que não seria tão longo assim, mas que acabou se tornando a minha infância inteira. E parte da adolescência.

Agora eu entendia tudo...

Quando comecei a fechar a porta, percebi que a televisão tinha sido ligada novamente. Pude ouvir a repórter contando a minha história como se fosse um conto de fadas. Respirei fundo, liguei o aparelho de som no volume máximo e deitei na minha cama. Nos últimos dias eu havia escutado aquela história tantas vezes que já sabia tudo de cor. E, mesmo ouvindo música e de olhos fechados, a minha mente insistia em reviver...

Capítulo 2

Tudo começou um ano e meio antes do meu nascimento, quando a minha mãe venceu um concurso que valia uma bolsa para um curso de culinária em Paris. Minha bisavó era doceira e minha mãe herdou totalmente esse dom. Acho que deve ser verdade aquilo que dizem sobre o talento na cozinha pular uma geração: A minha avó sempre foi uma péssima cozinheira. Já a minha mãe transforma qualquer ingrediente em um verdadeiro banquete. E eu não sei nem fritar um ovo... Sendo assim, se algum dia eu tiver uma filha, ela provavelmente vai saber fazer algo além de brigadeiro de micro-ondas!

Mas o fato é que, por causa da receita de ambrosia da minha bisavó, que conquistou todos os jurados, minha mãe ganhou a vaga no tal curso. E foi exatamente lá que ela conheceu meu pai. Não que ele também saiba cozinhar — acho que não cozinharia nem se a vida dele dependesse disso... Na verdade, o encontro dos dois foi meio por acaso. Ele tinha 25 anos e estava terminando a faculdade de Relações Internacionais, também em Paris. Uma amiga dele, uma francesa chamada Marie

Malleville, era colega de curso da minha mãe e, em uma sessão de degustação, levou meu pai como convidado. Mas não foi com ela que ele foi embora... Parece que realmente é possível conquistar um homem pela barriga, pois depois de provar o fondue de doce de leite da minha mãe, meu pai não quis mais saber de outra coisa. E foi assim que a história deles (e a minha!) teve seu início.

Minha mãe voltou ao Brasil apenas para buscar a mudança. O meu avô só faltou ter um ataque do coração, pois ela é a caçula de quatro filhos, sendo que os outros três são homens: meus tios Florindo, Fausto e Petrônio. Na cabeça do vovô, meu pai era um francês sedutor e *bon-vivant*, cheio de lábia, que havia passado a maior conversa na minha mãe e iria engravidá-la na primeira oportunidade, para depois largá-la sozinha a sabe-se lá quantos quilômetros de casa. Bem, de tudo isso, ele só acertou a parte da gravidez. O meu pai não é francês. Nem *bon-vivant*... Quer dizer, talvez seja um pouco, mas ele não largou a minha mãe, tanto que os dois estão juntos até hoje, e, pelo jeito que ficam sempre se olhando, acredito que mesmo agora, mais de dezesseis anos depois, ainda estejam apaixonados.

Mas, voltando ao meu avô, quando ele ficou sabendo que minha mãe não estava praticamente noiva de um Don Juan qualquer, mas sim de um descendente da família real de Liechtenstein, ele mudou totalmente de opinião, e acho que nem levou em consideração que:

1) Liechtenstein é um país do tamanho de uma ervilha e por isso nem aparece em todos os mapas.
2) Por ser um dos netos mais novos de uma numerosa prole, e por ter a ascendência principesca pelo lado materno, meu pai nunca assumirá o trono, já que Liechtenstein segue a sucessão agnatícia, ou seja, exclui qualquer mulher e seus descendentes da linha de sucessão. Quer coisa mais machista do que isso?!
3) A Europa não fica ali na esquina. Então, depois que a filhinha dele se casasse, ela passaria a não vir tanto ao Brasil. Portanto, para vê-la com mais frequência, ele precisaria voar... E meu avô sofre de ptesiofobia. Ou seja, ele tem pânico de viajar de avião e até então nunca tinha entrado em um nem para ir até o Rio de Janeiro, que dirá cruzar um oceano.

Por isso, ele só fez uma exigência: que o casamento ocorresse no Brasil. Meus pais concordaram e meus avós começaram a organizar a cerimônia, mas foi aí que eu entrei em cena...

Como eu contei, minha mãe logo engravidou de mim, e foi uma gravidez complicada. Meus pais tiveram que deixar o casamento para depois, pois os médicos proibiram que ela enfrentasse tantas horas de voo até o Brasil.

Foi quando a minha avó decidiu que não deixaria a filha "desamparada". Até parece... Meu pai pode até nunca na vida vir a ser príncipe, mas só por ter o sangue *levemente* azul já conta com vários privilégios: melhores hospitais, melhores médicos, melhores funcionários... Imagino o tratamento que um príncipe verdadeiro deve receber. Mas ainda assim a minha avó guardou tudo o que cabia em duas malas e falou que só voltava para o Brasil depois que sua neta (eu!) dissesse "vovó".

Meu avô não teve muita escolha... Entre ficar no Brasil com meus três tios solteirões (que ainda moravam debaixo do seu teto) e tomar uma dose cavalar de remédio pra dormir, entrar no avião com a minha avó e só acordar quando chegasse em outro continente, ele escolheu a segunda opção. Mas o que ninguém esperava é que ele fosse gostar tanto... a ponto de não querer nunca mais voltar.

Então, quando eu nasci, quase toda a minha família estava estabelecida em solo europeu. Por isso, assim que eu completei seis meses de vida, meus pais resolveram finalmente começar a planejar uma festa de casamento conjunta com o meu batizado, lá em Liechtenstein, onde meus avós paternos moram.

Parece lindo, certo? Lindo até demais, então claro que tinha que acontecer alguma coisa para atrapalhar. E a coisa tinha um nome: Marie Malleville, a colega dos meus pais que foi a responsável por eles se conhecerem no curso de culinária. No começo, talvez por achar que seria só um casinho passageiro, ela fingiu dar força ao casal e grudou na minha mãe, a ponto de virar praticamente a melhor amiga dela! Claro que isso era apenas um pretexto para ficar por dentro do que estava acontecendo, pois assim que meus pais começaram a falar em casamento e veio a gravidez, ela "coincidentemente" se afastou, alegando estar com muitas provas na faculdade e problemas na família... Minha mãe, já fragilizada por causa da gestação de risco, ficou ainda mais abatida, pois a *Mallê*, como ela a chamava, era a única pessoa na França que ela realmente considerava sua amiga.

Porém, quando a gravidez já estava bem avançada, a Malleville voltou a se aproximar... mas não da minha mãe. Numa tarde, ela ligou para o meu pai dizendo que precisava conversar sobre um assunto, segundo ela, importantíssimo. Meu pai foi à casa dela, mas, para sua grande surpresa, assim que chegou lá, ela começou a dar em cima dele e a dizer que tinha certeza de que ele continuava com a minha mãe apenas por causa da gravidez e que poderia dar um jeito para que acontecesse um aborto "espontâneo", assim os dois poderiam finalmente ficar juntos. Meu pai, com todo o cavalheirismo que lhe fora incutido desde o berço, conseguiu não dar um tapa na cara dela, coisa que com certeza eu teria feito! Em vez disso, simplesmente falou que devia haver algum engano, pois ele nunca havia pensado nela daquela forma e que entre os dois só existia amizade. Em vez de ficar envergonhada e desistir, ela falou que poderia mudar aquilo... e o beijou. Então (finalmente) ele a empurrou e foi embora.

Meu pai, a princípio, não contou nada para a minha mãe, por causa da gravidez. Porém, quando começaram os arranjos para o casamento, ele teve que explicar por que precisavam riscar Marie Malleville da lista de convidados...

Minha mãe ficou arrasada, mas com os preparativos acabou não tendo muito tempo para pensar nisso. Aliás, acho que ela só lembrou que aquela bruxa existia no dia da cerimônia, quando a mulher apareceu na igreja sem ser convidada e alterou o rumo das nossas vidas sem pedir permissão.

Ela pode até não ter conseguido separar os meus pais. Mas fez algo igualmente terrível... Me afastou deles.

Sequestro envolvendo a família real de Liechtenstein termina em prisão

No dia 22 de fevereiro, o casamento da brasileira Doroteia Lopes com Stefan Bellora, primo do príncipe regente do principado de Liechtenstein, teve um desfecho dramático.

Um pouco antes da cerimônia, a filha dos noivos, Áurea Roseanna Bellora, de apenas 9 meses, foi sequestrada. A francesa Marie Malleville, desafeto da família, fingiu ser uma freira para entrar na igreja. Com a desculpa de preparar a criança para o batismo, que também aconteceria naquela noite, a mulher fugiu com a menina por uma porta lateral. Graças a um garotinho de 4 anos, filho de um dos convidados — Henrique Hoffel, diplomata brasileiro residente na França — o bebê foi localizado antes que Marie Malleville pudesse ir muito longe. O menino, Filipe, entediado com a cerimônia, brincava na sacristia no momento da fuga e viu quando a sequestradora entrou com a criança em uma das casas da vizinhança, provavelmente buscando um esconderijo até que pudesse escapar. Ao ser questionado pela polícia, o garoto indicou o local, e a mulher foi presa em flagrante.

Marie Malleville cumprirá pena por sequestro por um período de vinte anos, segundo as leis vigentes no país. ■

Francesa que sequestrou bebê real de Liechtenstein é solta

A história do sequestro que três anos atrás abalou Liechtenstein — considerado o menor principado do mundo — está longe de acabar. Marie Malleville, autora do sequestro de Áurea Bellora, conseguiu ontem liberdade provisória. Seus advogados alegaram que na época ela passava por um período de forte abalo emocional e que a intenção de Marie Malleville nunca foi sequestrar a criança.

"Eu só queria conhecer a menina", alegou ela em seu depoimento. "Imaginei que a pessoa responsável pela lista de convidados tivesse se esquecido de colocar meu nome, já que eu era tão próxima dos noivos, e nunca pensei que realmente não fosse bem-vinda. Por isso, quando me impediram de entrar, pensei que se tratava de um engano e consegui acessar a igreja pela porta lateral. Eu queria muito assistir ao casamento, por isso vesti um hábito de freira que avistei assim que entrei. Quando vi a neném, apenas quis levá-la para um lugar mais calmo, já que muitas pessoas conversavam, e ela estava dormindo. Fiquei com receio de que ela despertasse. Eu a levaria de volta antes mesmo de a cerimônia começar."

Como a única testemunha da fuga foi um garoto que tinha apenas 4 anos na época, o juiz responsável pelo caso determinou que, até a decisão final do tribunal, que acontecerá em seis meses, Marie Malleville pode cumprir a pena em liberdade. ■

Sequestradora desaparece após receber liberdade provisória

Marie Malleville, a responsável pelo sequestro de Áurea Bellora, está desaparecida.

Seis meses atrás ela conseguiu liberdade provisória sob alegação de abalo emocional, e com isso não poderia sair do país até novo julgamento, que deveria ter acontecido na última segunda-feira. Quando a ré não compareceu ao tribunal, a polícia foi até o seu apartamento e o encontrou vazio. Os vizinhos disseram que havia vários meses não percebiam movimentação no local, e ninguém soube dar qualquer informação sobre o paradeiro dela.

Os pais de Áurea Bellora estão extremamente receosos com a possibilidade de uma nova tentativa de sequestro e resolveram deixar Paris, onde moravam com a filha, e se mudar para Liechtenstein, onde a criança contará também com os cuidados da guarda real. ■

Família de Áurea Bellora recebe ameaças

A polícia ainda não tem pistas do paradeiro de Marie Malleville. A francesa sumiu após receber liberdade provisória há oito meses. Recentemente, porém, Doroteia Lopes Bellora, a mãe da criança sequestrada, começou a receber ameaças pelo correio. De acordo com o departamento de polícia de Liechtenstein, onde a família mora, as cartas são postadas de várias cidades e até de países diferentes. O conteúdo de uma das cartas foi divulgado, com a finalidade de pedir à população que fique atenta e entre em contato caso tenha alguma informação sobre o paradeiro de Malleville. Leia a tradução abaixo.

Não pense que acabou assim. Sua filha só estará segura quando atingir a maioridade. Até lá, viverei todos os dias com os olhos fixos nela, para fazer com que sofra o que eu sofri. Stefan foi o meu primeiro e único amor, eu me apaixonei por ele ainda na infância, e durante minha vida fiz de tudo para fazê-lo feliz. Tudo estava bem até você aparecer. Sua filha deveria ser minha! Como castigo, tirarei dela a liberdade e todas as paixões dos primeiros anos de juventude, quando todos os amores são mais puros. Ela só tem duas opções: viver enclausurada por vocês até se tornar adulta ou morrer jovem, pelas minhas mãos!

A polícia de Vaduz, capital de Liechtenstein, já fala em pedir apoio à Interpol. ■

Descendente da família real de Liechtenstein morre asfixiada

Na noite passada, um comunicado da assessoria de imprensa da família real de Liechtenstein sensibilizou o país. Áurea Bellora, que vinha sendo ameaçada pela fugitiva Marie Malleville, morreu na última noite, com apenas 5 anos de idade, após se engasgar com um caroço de ameixa. Médicos tentaram reanimá-la, mas sem sucesso. O velório será em jazigo particular em uma cerimônia apenas para parentes e amigos da família, que está inconsolável.

A polícia avisou que, apesar do acidente, não cessará as buscas enquanto não descobrir o paradeiro de Marie Malleville. ■

Capítulo 3

Quase não me lembro da minha vida até os 5 anos. Só tenho certeza de uma coisa: eu era constantemente vigiada. Meus pais e meus avós sempre estavam perto de mim. Só mais tarde, quando cheguei ao Brasil, é que me explicaram a razão de toda aquela vigília. Eu havia sido sequestrada e a ameaça de um novo crime me rondava o tempo todo.

Da Europa em si eu realmente esqueci quase tudo. Apenas um detalhe persistiu por mais tempo em minhas lembranças... Filipe.

Ele era poucos anos mais velho do que eu, mas talvez por ter me salvado uma vez e ter sido considerado um herói, aquele menininho cresceu com a sensação de que tinha que tomar conta de mim. Filipe era meu único amigo e uma das únicas pessoas que podiam me visitar. Nossos pais, que ficaram muito próximos depois do sequestro, brincavam que, quando crescêssemos, iríamos namorar. Eu nem sabia o que era namoro, mas em uma das últimas vezes em que nos vimos Filipe perguntou: "Você vai casar comigo?" E eu, mesmo sem entender o significado daquilo, mas influenciada por todos os contos de fadas que minha mãe me contava, rodopiei no meu vestido rodado que usava naquele dia e respondi: "Só se você prometer que a gente vai ser feliz pra sempre." Acho que ele também não sabia do que estava falando, mas sorriu. E então me colocaram em um avião e eu nunca mais voltei.

A minha viagem foi um verdadeiro filme de espionagem. Meus tios foram me buscar em Liechtenstein, pois meus pais sabiam que, se me levassem, poderiam ser seguidos. Me contaram que, apesar da pouca idade, eu parecia entender o que estava acontecendo e colaborei; deixei que me disfarçassem com uma peruca de cabelos pretos e não chorei em nenhum instante. Pelo menos até desembarcar no Brasil... Quando cheguei à casa dos meus tios, o local que supostamente seria a minha residência provisória, percebi que meus pais não estavam lá e que eu não voltaria a vê-los tão cedo. Chorei por dias, fiquei sem comer, adoeci... Mas aos poucos fui me acostumando. Meus tios pararam a vida deles para cuidar da minha. Preenchiam meus dias inventando brincadeiras, me dando aulas, me presenteando com bonecas e animais de estimação...

No Brasil, todas as pistas que pudessem levar a mim foram destruídas. Até o meu nome foi mudado. De Áurea Roseanna Bellora, eu virei Anna Rosa Lopes. Era como se aquela vida que eu tinha até os cinco anos tivesse sido apagada.

O principal problema é que ninguém sabia por quanto tempo mais eu teria que ficar afastada. Poderia ser um dia, uma semana, um mês... Eu não deveria voltar até que os papéis se invertessem: a minha sequestradora precisaria ser presa para que eu pudesse viver novamente em liberdade.

Quando eu estava no Brasil já havia uns seis meses, todo mundo começou a perceber que aquilo não seria tão simples. As ameaças de Marie Malleville haviam parado de chegar e assim, a polícia não tinha como rastreá-la de forma alguma. Minha mãe por várias vezes quis me buscar, especialmente quando meus tios contavam que eu não parava de perguntar onde ela estava, mas meu pai e meus avós a convenceram a não fazer isso. Primeiro porque era óbvio que a Malleville estava de tocaia em algum lugar e, se meus pais entrassem em um avião para o Brasil, entregariam de bandeja o meu paradeiro. E também porque, se eu voltasse, continuaria a viver presa dentro de casa. Se continuasse no Brasil, eu pelo menos poderia ter uma vida (quase) normal, frequentando a escola e fazendo amigos.

E foi então que veio a notícia do acidente.

Com todo o cuidado, meus tios me contaram que meus pais tinham ido morar em um lugar cheio de anjinhos, nas nuvens, perto do céu azul... Por mais que eu dissesse que queria muito ir também ao tal lugar, que parecia ser tão bom e bonito, eles explicaram com os olhos cheios de água que quem ia para lá não podia mais voltar, e que eles precisavam muito de mim ali, pois me amavam como se fossem meus pais. Lembro que os abracei, pedi que não chorassem e concordei em ficar.

Foi naquele momento que eles passaram a me tratar realmente como filha.

Meu tio Florindo é o dono de um salão de beleza. Ele resolveu que eu seria a mais linda de todas as meninas e por isso cuidava dos meus cabelos, das minhas unhas, da minha alimentação... E sempre me comprava as roupas mais bonitas.

Meu tio Fausto é músico. Ele me ensinou a cantar e a tocar piano, flauta e violão. Nossa casa se encheu de melodia, e minha vida tinha sua própria trilha sonora.

Meu tio Petrônio é professor. Ele fez questão de que eu soubesse que o mais importante é ser inteligente. Ele foi o meu tutor durante anos. Me ensinou a ler, a escrever e me presenteou com livros de diferentes gêneros.

E assim eu fui crescendo. Em alguns momentos ficava triste e com saudades dos meus pais e dos meus avós, mas aos poucos o começo da minha infância foi ficando desbotado.

Dizem que as lembranças dos nossos primeiros anos de vida são mesmo meio nebulosas. Não dá para saber se são verdadeiras ou se aquelas imagens foram criadas a partir de histórias que nos contaram ou de fotos que vimos... Usamos essas informações como se elas fossem parte da nossa própria memória.

Por isso, aquela antiga história do sequestro me parecia cada vez mais irreal, e eu comecei a achar que talvez pudesse ter sido fruto da minha imaginação infantil ou uma invenção dos meus tios para me distrair. Apenas uma fábula, como tantas outras que eles me contavam.

Com o tempo, acabei criando outra versão dos fatos na minha cabeça. Meus pais e avós provavelmente haviam morrido em algum acidente enquanto viajávamos pela Europa. Meus tios, por serem os parentes mais próximos, foram me buscar, e — para que eu não sofresse muito — me fizeram pensar que aquilo era alguma espécie de aventura, inventaram sobre a sequestradora, sobre meu pai ser descendente de nobres e tudo o mais que alimentou minha imaginação por tanto tempo.

Algumas vezes cheguei a indagar-lhes se eu estava certa, mas eles apenas diziam que a gente não podia falar sobre aquele assunto. Concluí então que deveriam estar envergonhados por, de certa forma, terem mentido para mim. E então, aos poucos, aquela história ficou no passado.

Quando completei 11 anos, meus tios resolveram que era hora de eu começar a estudar em uma escola de verdade. Mas não qualquer escola... Em um internato só para garotas. Eles achavam que eu precisava conviver com crianças da minha idade e, especialmente, ter mais contato com outras mulheres. Na mesma hora eu disse que aquilo não era necessário, que os três para mim eram ao mesmo tempo pais, mães, irmãos... Tudo de que eu precisava. Mas acabei concordando por apenas um motivo: fiquei com receio de estar me tornando um fardo.

Toda vez que um deles começava um novo namoro, eu percebia que armavam a maior estratégia para levar a moça para dormir na nossa casa. Eles achavam que tal atitude seria uma má influência para mim e que, se eu soubesse, iria querer dormir na casa do primeiro namorado que arrumasse... Por isso, faziam o possível para esconder as namoradas e pensavam que eu não percebia quando entravam pé ante pé depois que eu apagava a luz do meu quarto, ou que não ouvia conversas e risos até de madrugada...

Eles realmente mereciam um pouco de privacidade.

Por isso, aceitei que me matriculassem no colégio interno, apenas para que eles pudessem viver um pouco as próprias vidas, coisa que já não faziam havia mais de seis anos.

Mas o que eu realmente não esperava é que fosse gostar tanto. Na escola, ganhei algo que eu nunca havia tido: amigas. Eram elas que agora supriam a falta que eu ainda sentia dos meus pais. E também dos meus tios, que a princípio se mostraram meio enciumados quando perceberam que nos finais de semana que passava em casa, eu não ficava muito triste quando chegava o final da tarde de domingo, que era o momento de voltar para a escola. Mas logo eles se conformaram e ficaram tranquilos por eu estar tão bem-adaptada. Porém, a cada despedida, faziam a mesma recomendação: que eu nunca revelasse a ninguém aquela história dos meus primeiros anos de vida.

"Rosa, por maior que seja a amizade, prometa que você vai guardar segredo", eles diziam incontáveis vezes. "É só isso que pedimos! Nós sabemos que você confia nas suas amigas, mas elas podem contar para alguém sem querer e esse alguém contar para outra pessoa e então..."

"Confiem em mim!", eu sempre respondia rindo. Era até engraçado vê-los tão preocupados com a possibilidade de outras pessoas descobrirem que eles haviam mentido para mim. "Só me lembro daquela história boba quando vocês tocam no assunto... E não é como se as pessoas saíssem contando umas para as outras as bobeiras que escutaram quando eram bebês!"

"Apenas prometa!", eles insistiam.

Eu prometia, e eles pediam a mesma coisa cada vez que nos despedíamos. Naquela época eu nem imaginava que encontraria alguém que me fizesse ter vontade de revelar a minha vida inteira, até as partes inventadas... Alguém que me fizesse esquecer totalmente de antigas promessas.

Capítulo 4

À medida que eu fui crescendo, as coisas foram ficando meio complicadas. Eu não conseguia aceitar o fato de os meus tios não deixarem que eu frequentasse a casa das minhas amigas e muito menos ir a festas. Eles permitiam que eu levasse quem quisesse para passar os fins de semana na nossa casa, mas se resolvêssemos ir a algum lugar, faziam questão de nos levar e ficavam vigiando cada passo. Além disso, repetiam mil vezes que eu não deveria conversar com estranhos, como se eu fosse surda ou algo parecido.

No começo não tinha problema: minhas amigas adoravam ir à minha casa, pois lá era cheio de doces, brinquedos e bonecas, além de quatro gatos, dois cachorros, três periquitos, uma calopsita e um monte de coelhos! Tudo que eu ganhei durante a vida para compensar a ausência dos meus pais. E elas até achavam meus tios engraçados e se divertiam com as brincadeiras que eles inventavam. Porém, com o passar dos anos, minhas Barbies e bichinhos de estimação pararam de ter tanta graça. Minhas amigas começaram a recusar meus convites e meus finais de semana se tornaram muito solitários.

Passei a discutir com os meus tios, eu queria entender por que eles não me deixavam ser uma garota normal... Mas, como eles sempre me trataram como uma verdadeira filha, eu não queria contrariá-los, e por isso acabava aceitando. Porém, ficava louca para segunda-feira chegar logo para escutar as histórias sobre os lugares que as minhas amigas tinham ido, as roupas que tinham usado, e, especialmente, os garotos que tinham conhecido...

Por mais que eu soubesse que era passageiro, que dali a alguns anos eu seria independente e também poderia fazer tudo aquilo, eu secretamente invejava os relatos delas, também almejava ter uma vida social e desejava encontrar alguém que me arrancasse suspiros e me fizesse sonhar acordada como eu via as minhas amigas fazendo. Durante muito tempo eu apenas imaginei como seria a sensação de estar apaixonada...

Até que o meu aniversário de 16 anos chegou.

Acordei com um estouro e, ao abrir os olhos, levei o maior susto. O quarto estava todo enfeitado com balões!

— Surpresa! — a Clara, minha melhor amiga, gritou, me fazendo sentar na cama de um pulo. Então aquilo tudo era pra mim?

— Parabéns, Rosa! — Umas dez outras garotas vieram de todos os lados e me deram um grande abraço.

Eu até chorei de emoção. Agradeci a surpresa e quando me levantei para ir ao banheiro, a Lia, uma das meninas, disse:

— A gente quer te dar um presente...

— Isso mesmo — a Jussara completou. — E você não pode recusar.

Olhei curiosa para elas, pensando se teriam algum embrulho escondido em algum lugar, e então a Clara explicou:

— Nós vamos te levar pra sair hoje!

Respirei fundo e comecei a dizer pela milésima vez que meus tios não me deixavam sair, mas, antes que eu pudesse começar a falar, elas me cortaram.

— Eles não precisam saber! — todas disseram em uníssono.

— Nós já pensamos em tudo! — a Clara continuou a explicação. — A gente vai avisar à coordenação da escola que vamos todas pra sua casa, pois seus tios prepararam uma comemoração pra você. E aí eu vou ligar para um dos seus tios e dizer o contrário, que nós vamos fazer uma festa surpresa pra você aqui na escola, assim eles vão saber que você vai estar se divertindo e nem vão ficar telefonando, pra saber se você está bem, como eles fazem todos os dias...

— Mas eu não gosto de mentir para os meus tios — falei meio sem graça. A intenção delas era boa, mas eu realmente não queria desobedecê-los.

— Rosa, você não vai mentir! — a Ana sentou na minha frente e começou a explicar, como se eu estivesse fazendo 6, e não 16 anos. — Vai apenas *ocultar*. A gente não vai fazer nada de mais! Tem um shopping a umas quadras daqui. Nós queremos te dar um presente, mas é você que tem que escolher... E depois tomamos um sorvete e voltamos. Só isso! Seus tios nem vão desconfiar.

— Nós vamos voltar antes das oito da noite? — perguntei, ainda receosa, mas morrendo de vontade de aceitar a proposta.

— A gente promete! — a Lia afirmou e todas as outras concordaram. — Mesmo que o toque de recolher seja dez da noite, prometemos que às oito você estará sã e salva neste mesmo local.

Pensei mais um pouco. Oito da noite era o horário que meus tios sempre me telefonavam para dar boa-noite. Se eu telefonasse para casa antes de sair com as meninas, eles já me dariam parabéns e assim eu não correria o risco de eles me ligarem quando a gente estivesse na rua e ouvirem sons estranhos que delatassem a minha escapada... Quanto à escola eu não precisava me preocupar. Eu era a aluna mais exemplar da sala, certamente não despertaria suspeitas.

— Tudo bem... — falei, ainda meio incerta. — Mas às oito horas preciso estar aqui!

Elas nem responderam, apenas me deram um grande abraço coletivo que fez com que qualquer vestígio de culpa por desobedecer aos meus tios sumisse.

Capítulo 5

— Clara, você disse que o plano era ir ao shopping!

Começava a anoitecer, e eu estava percebendo que o caminho que não era o mesmo da ida. As meninas estavam indo em direção a uma rua movimentada, cheia de bares e restaurantes.

— E nós fomos! Você até escolheu esse vestidinho de presente, esqueceu? Ele ficou lindo em você!

Olhei para o meu corpo para conferir a roupa que elas tinham me dado e me obrigado a vestir imediatamente. Eu tinha certeza de que o meu tio Florindo não ia aprovar... Com certeza diria que era muito curto e decotado. Não que ele me fizesse usar roupas megaconservadoras, mas não gostava que eu mostrasse demais. Ele dizia: "Ou você mostra as pernas ou mostra o colo. Revelou em cima? Esconda embaixo. Essa é uma regra!" Ele tinha várias regras sobre moda. Outra parecida era: "Roupa justa em cima combina com roupa um pouco mais solta na parte de baixo e vice-versa. O limite entre o sensual e o vulgar é tênue! Evite excessos!" Certamente ele me acharia vulgar naquele momento...

— Sim — eu me virei para a Clara — mas o combinado era ir ao shopping e voltar para a escola!

— Nada disso. O combinado era voltar até oito da noite. — A Lia apareceu do meu lado e colocou um braço sobre os meus ombros. — E é isso que vai acontecer. Mas antes vamos fazer um pequeno desvio. Faz parte da comemoração!

Elas riram e passaram a andar um pouco mais rápido. Só pude segui-las. Eu não tinha dinheiro para pegar um táxi e não sabia voltar andando para a escola sozinha.

Quando chegamos à tal rua dos bares, elas foram direto para o mais cheio deles. Logo percebi que o local era uma espécie de ponto de encontro jovem, pois a maioria das pessoas ali parecia ter entre 15 e 20 anos. Minhas colegas pelo visto eram frequentadoras assíduas do lugar, pois não davam um passo sem cumprimentar alguém. E todas as vezes elas me apresentavam como "a aniversariante do dia", o que rendia parabéns e alguns abraços.

Comecei a ficar meio nervosa. Apesar de parte de mim estar gostando, eu nunca tinha visto tanta gente junta! Na verdade, nunca tinha visto tantos *garotos* ao mesmo tempo...

— Vem, Rosa! — A Clara me puxou ao perceber que eu estava parada olhando para todos os lados. — A gente só quis te trazer aqui pra você ver o que está perdendo... Já passou da hora de confrontar os seus tios, você não é mais uma menininha!

Exatamente naquele momento, meu celular começou a tocar e eu vi que era o meu tio Fausto.

— Clara, eu preciso sair daqui! — falei, parando novamente. — É o meu tio me ligando! Ele vai descobrir que eu saí da escola!

Ela revirou os olhos, tomou o telefone da minha mão e o desligou.

— Ele só vai descobrir se você atender! Eu avisei para eles que a gente ia fazer uma festinha pra comemorar seu aniversário, ele vai achar que você não atendeu porque não escutou ou porque deixou o celular no dormitório... Não esquenta!

Como ela viu que eu continuei preocupada, me devolveu o telefone e falou:

— São sete horas. Prometo que em 20 minutos eu vou embora com você, mesmo que as meninas queiram ficar mais. Estamos perto do colégio... Juro que antes das oito você retorna a ligação do seu tio. Agora, que tal aproveitar um pouco? Vem cá, quero te mostrar uma coisa.

Ela me puxou em direção à pista de dança.

— Lembra aquele caso que a gente leu na revista, sobre a menina que conquistou o coração do Fredy Prince? — perguntou ela, parando bem no meio da pista.

Apenas assenti. Claro que eu me lembrava. O Fredy Prince era um cantor superfamoso, o queridinho de todas as adolescentes, e de repente se apaixonou por uma

DJ que perdeu um sapato em uma festa em que a banda dele tocou. O caso havia sido amplamente divulgado na internet, nas revistas e até na TV. Eu admirava muito aquela garota. Ela devia ser muito especial para conquistar alguém como o Fredy, que podia escolher qualquer menina que quisesse...

— Pois então! Olha ela ali. — A Clara apontou para uma menina bonita com fones de ouvido que estava colocando músicas para as pessoas dançarem. — Este foi um dos motivos para eu ter insistido tanto pra você vir. Neste mês ela vai tocar aqui todas as quintas-feiras, e muita gente vem só pra vê-la! Imaginei que você também gostaria de conhecer a famosa DJ Cinderela!

Olhei com mais atenção para a garota. Eu realmente gostava da história dela, parecia até um conto de fadas moderno! Algo que eu também gostaria de viver um dia...

Sem querer, fiquei encarando a tal DJ, que percebeu e acenou para mim.

— Ela está te chamando! — A Clara me puxou animada. — Vamos lá!

— Ficou doida? — falei, soltando a minha mão. — Ela não está me chamando... Só foi educada porque eu estava encarando!

— Não, olha lá! Ela está fazendo sinal pra você. As meninas devem ter contado que é o seu aniversário!

Olhei, completamente envergonhada, e concluí que ela estava certa. A DJ estava mesmo me chamando. Aquilo estava ficando cada vez pior, a cada minuto eu quebrava mais regras! Agora eu iria falar com uma estranha. Tudo que meus tios imploraram para eu não fazer...

Suspirei e deixei que a Clara me arrastasse para a cabine de som. Assim que me aproximei, a garota fez sinal para que eu chegasse mais perto ainda, para escutar o que ela ia dizer.

— Oi, muito prazer! — Ela sorriu enquanto tirava o fone. — Eu sou a Cintia. Você é a aniversariante?

Eu confirmei com a cabeça. Então a Clara estava certa. As meninas tinham contado para ela.

— Quer escolher uma música? Já que é o seu aniversário, de repente você quer escutar algo especial para marcar a data! As suas amigas me falaram que você tem um ótimo gosto musical!

— Pode ser... — respondi, sem graça, e então percebi que eu havia sido meio mal-educada. A menina querendo me dar uma música de presente, e eu passando a impressão de que nem estava ligando! — Quer dizer, claro, quero, sim! Muito obrigada! Desculpa, sou meio tímida...

Ela deu uma piscadinha e me passou um catálogo cheio de títulos, divididos em nacionais e internacionais. Enquanto escolhia, criei coragem pra perguntar:

— Você ainda namora o...

— Fredy Prince? — completou ela com um grande sorriso. — Sim... Infelizmente ele não pode vir comigo, senão causa o maior tumulto, um monte de garotas quer pedir autógrafo pra ele, você sabe como é... Mas não tem problema porque hoje em dia eu toco apenas aqui e só de vez em quando. Este bar é do Rafa, o noivo da minha tia, ele inaugurou faz poucos meses.

— Mas por que você só trabalha aqui agora? — perguntei, realmente curiosa. Pelas músicas que eu estava vendo no repertório, ela era mesmo uma boa DJ! Era um desperdício tocar apenas ali...

— É que hoje em dia, nos finais de semana o meu trabalho é abrir os shows do Fredy, colocar músicas para animar a galera que está esperando... —disse ela, sorrindo. — Assim eu e ele podemos ficar mais tempo juntos!

Achei aquilo tão fofo que falei sem conseguir me conter:

— Tomara que algum dia eu também encontre alguém que queira ficar comigo em todos os momentos...

— Claro que vai encontrar! — Ela apertou o meu ombro. — Mas, olha, por experiência própria, não fique esperando. Pode ter certeza de que esse alguém vai aparecer de surpresa... Assim como foi comigo. — Eu fiquei pensando em como era difícil não criar expectativas e já ia voltar a olhar as músicas, mas ela continuou a falar:

— Ah, e tem uma coisa muito importante: se por acaso

surgir um cara que não tem a menor chance com você, não o ignore e nem fale mal dele, por favor!

Ela deu uma risada e eu ri junto, meio sem entender do que ela estava falando. Mas eu estava cada vez mais admirada com a simpatia daquela menina. Com certeza ela merecia ficar com o Fredy Prince: ele devia mesmo ter ficado encantado com ela.

— Olha, quero essa — falei, apontando para *Rainbow*, uma música da Colbie Caillat que eu andava ouvindo muito por achar que a letra combinava perfeitamente com a minha vida. — Pode ser?

— Você manda, garota! — ela respondeu, pegando o catálogo da minha mão. Fiz que ia descer, mas ela falou: — Não, vai ter que dançar aqui em cima, até a sua música terminar! Nada de timidez!

A Cintia mexeu na mesa de som e de repente a canção que eu havia escolhido ecoou pelo local. Ela começou a dançar tão animadamente que até me contagiou. Por alguns segundos, esqueci a minha timidez, as recomendações dos meus tios, e dancei como se eu fosse uma adolescente normal, sem receio nem medo de nada.

Apenas quando a música terminou, e as minhas amigas começaram a gritar e a bater palmas que voltei à realidade. Me despedi rapidamente da DJ Cinderela, agradeci pela música e comecei a me afastar.

— Ah, esqueci uma coisa — ela disse, e eu me virei. — Tenho um cadastro de telefones de pessoas que gostam de receber mensagens avisando quando eu for tocar. Quer deixar o seu? — Ela me estendeu um caderno. Fiquei meio apreensiva, mas ela tinha sido tão legal comigo que fiquei sem graça de recusar, por mais que soubesse que aquela noite seria a única em que eu a veria.

Anotei rapidamente o meu celular e devolvi o caderno.

— Obrigada, querida! Espero te encontrar novamente em breve. E tomara que na próxima você já esteja com o seu grande amor! Tenho certeza de que ele vai aparecer bem depressa.

Eu sorri para ela e dei um suspiro. Bem que eu queria, mas sabia que provavelmente não seria tão depressa assim...

• *Capítulo 6* •

Enquanto eu e a Clara voltávamos, eu me sentia tão leve que nada poderia me preparar para o que estava por vir. Aquele passeio realmente havia me feito bem. A minha rotina era apenas ir de casa para a escola e da escola pra casa. Eu não queria admitir, mas estava feliz por minhas amigas terem praticamente me obrigado a sair com elas. O problema é que eu não podia admitir isso, não queria ouvir a Clara dizendo que tinha me avisado... Mas, mesmo sem eu concordar, ela não parava de falar.

— Eu sei que você gostou, Rosinha! Sua expressão está diferente, iluminada! E quem diria, hein... Você conversou e até dançou com a DJ! Sabia que eu não fazia ideia de que você dançava tão bem? Para quem nunca foi a uma festa antes, até que você tem muito ritmo...

— Eu estudo música desde criança, esqueceu? — falei, me lembrando das incansáveis aulas do tio Fausto. — O ritmo é a base de tudo.

— Pois podia aproveitar mais essa sua *cadência*... Vi que vários garotos só faltaram babar por causa do seu rebolado!

Baguncei o cabelo dela e ri, pois sabia que ela estava brincando. Sim, o local estava cheio de meninos, mas não era como se algum deles tivesse olhado pra mim. As minhas outras colegas, sim, haviam despertado a atenção de vários deles, e eu sabia que no dia seguinte eu ouviria muitas histórias sobre abraços e beijos.

— Você ficou chateada por não ficar lá com as meninas? — perguntei, sabendo que ela nunca admitiria, mas com certeza preferia ainda estar no bar a ter que me "escoltar" para a escola.

— Claro que não! — disse ela, confirmando a minha suspeita. — Posso voltar lá quando eu quiser! Mas hoje é seu aniversário, e é também a primeira vez que você saiu à noite! Quer evento mais importante do que esse?

Eu sorri para ela, que continuou:

— Mas eu quero te pedir uma coisa... Promete que vai tentar convencer os seus tios de que você não é mais criança? Foi tão bom estar lá com você! A gente podia fazer isso em todos os finais de semana... Você viu, não tem nada de mais. A gente conversa, dança, conhece gente nova... Bem diferente da orgia que seus tios devem imaginar!

Apressei o passo, sem saber o que dizer. Eu conhecia a Clara desde o meu primeiro ano na escola, nós ficamos amigas tão rápido que era como se ela me conhecesse a vida inteira. Mas isso não era totalmente verdade porque ela não sabia daquela história fantástica envolvendo sequestros e viagens secretas que meus tios inventaram quando eu fui morar com eles, à qual eles haviam pedido que eu guardasse segredo. E era exatamente por causa daquilo que eu os respeitava tanto; porque sabia o esforço que os três fizeram desde a minha infância para que eu não sofresse por ter perdido meus pais tão cedo...

— Você vai ter que confrontá-los em algum momento, Rosa... — Ela voltou a falar quando já estávamos na rua da escola. — Se continuar aceitando essa situação, eles vão te prender até você fazer 18 anos!

Eu sabia que ela estava certa e prometi que iria conversar com eles. Passamos pela portaria da escola quando ainda faltavam quinze minutos para as oito. Respirei aliviada. Tudo que eu tinha que fazer agora era ligar para o tio Fausto e dizer que eu não tinha escutado o telefone porque eu estava...

— Onde você estava?

Três vozes atrás de mim interromperam meu pensamento. Três vozes que eu conhecia muito bem. Fechei os olhos, respirei fundo e me virei. Como eu pensava... Tio Florindo, tio Fausto e tio Petrônio.

— Oi, tios! — a Clara falou com um sorriso amarelo. — Então, a gente só foi ali no posto de conveniência da esquina, porque acabou o refri da festinha e...

— Clara, você me enganou direitinho... — o tio Fausto interrompeu. Pensei que ele estava se referindo ao fato de ela ter ligado pra ele mais cedo falando sobre a festa, quando na verdade não havia festa nenhuma, mas logo percebi que não era bem a isso que ele estava se referindo.

— Pensei que você era uma boa amiga pra minha sobrinha, mas certamente eu não quero que ela tenha como companhia uma mentirosa.

Pela primeira vez vi a Clara sem graça. Eu então falei por ela; afinal, ela só tinha mentido por minha causa.

— Ela não teria feito isso se vocês não me prendessem tanto! — praticamente gritei, sentindo a raiva reprimida por vários anos tomar conta de mim.

— Pegue suas coisas, você vai voltar a estudar em casa. As influências dessa escola não estão sendo boas pra você! — O tio Petrônio falou em um tom baixo, porém firme.

— Eu não vou a lugar nenhum! — Cruzei os braços, mostrando que eu iria ficar exatamente ali. — E a Clara não tem nada com isso, parem de colocar a culpa nela! Ela só quer o meu bem! Ao contrário de vocês, ela quer que eu seja uma adolescente normal, que conheça o mundo... Eu já tenho 16 anos e até hoje nunca tinha saído sem que vocês me vigiassem! Que prisão é essa? E agora vocês querem me afastar das minhas amigas também?

Sem conseguir me controlar, lágrimas começaram a escorrer pelo meu rosto. O tio Florindo veio me abraçar, mas eu desviei. Saí correndo em direção ao meu quarto, sem nem olhar para a diretora da escola parada na recepção com a maior cara de brava, pelo visto me esperando para me dar o maior sermão.

Deitei na minha cama e por uns quinze minutos fiquei sozinha no escuro, sentindo muita pena de mim mesma. Eu sabia que os meus tios só queriam o meu bem e que eu não deveria ter mentido pra eles. Mas aquilo tudo era uma grande injustiça! Antes eu tivesse mesmo sido vítima de algum sequestro, como meus tios tinham inventado quando eu era criança, assim pelo menos eu teria alguma vida!

De repente ouvi passos pelo quarto. Fingi estar dormindo, mas a pessoa se aproximou e começou a passar a mão no meu cabelo. Abri os olhos depressa e vi que era a Clara.

— Rosa, seus tios estão tristes por te verem tão infeliz... Eles me explicaram porque reagiram daquela forma, e, sinceramente, acho que eu também ficaria assim. Eles gostaram tanto da minha ideia de fazer uma festa surpresa que resolveram que seria ainda mais surpreendente se eles também aparecessem. E então chegaram aqui cheios de presentes e flores, e ficaram sabendo pela diretora que você tinha ido pra casa. Imagina o susto que levaram! E, quando ligaram para o seu celular e você não atendeu... Eu não sei, mas pelo desespero deles, parece que acharam que você tinha sido sequestrada ou algo assim. Não sabia que seus tios eram tão dramáticos.

Uma grande culpa começou a crescer dentro de mim.

— Eles ainda estão aqui? — perguntei.

— Sim. Pediram pra eu vir conferir se você estava bem. Eles não vão te tirar da escola. Eu falei que não foi sua culpa, que eu e as meninas só achávamos que seria uma boa comemoração te levar pra passear um pouquinho... Mas que a gente não tinha a menor intenção de causar nenhum tipo de problema familiar. Eles ainda estão meio nervosos, mas acho que é mais preocupação do que raiva.

— Eu vou conversar com eles... — falei, me levantando.

— Tem certeza de que não quer esperar até amanhã? Na minha família a gente não consegue conversar enquanto todo mundo está de cabeça quente. Mas, depois de uma noite bem-dormida, parece que enxergamos a situação por um ângulo diferente... Acho que o sono tem o poder de acalmar as pessoas.

Neguei com a cabeça, já seguindo para a porta. O problema é que eu não conseguiria dormir sem passar a discussão a limpo. Eu nunca tinha realmente brigado com meus tios antes... E eu sabia que eles deviam estar tão chateados quanto eu.

— Então eu vou com você. — A Clara ficou ao meu lado. — Fui eu que comecei essa história, que dei a ideia do passeio para as meninas, que liguei pro seu tio... Eu mereço levar uma bronca também!

— Eu espero que não tenha mais bronca... — respondi, disposta a fazer as pazes.

Quando já estávamos quase chegando na entrada do colégio, onde meus tios estavam, segurei a mão da Clara para que ela parasse.

— Eu quero te falar que, mesmo que eles me proíbam de sair de casa até eu fazer 90 anos, valeu a pena. Muito obrigada por ter organizado essa *fuga*. Eu nem sabia, mas... estava realmente precisando ver o mundo lá fora.

Ela abriu o maior sorriso e então me abraçou.

— De nada, sua chorona! Pode ter certeza de que você vai sair comigo muitas outras vezes! A primeira é sempre mais difícil, mas depois os pais, quer dizer, no seu caso os *tios*, se acostumam! E da próxima vez vou fazer questão de te apresentar algum gatinho... Foi legal o papo com a DJ, mas da próxima quero te ver conversando é com algum garoto! Ou, quem sabe, fazendo algo mais...

Ela fez um biquinho simulando um beijo, e eu ri, dei um beliscão na cintura dela e falei que ela estava muito enganada, pois pelo visto eu não iria conhecer menino nenhum pelos próximos cem anos!

Eu só não sabia que quem estava enganada era eu...

Capítulo 7

Meus tios acabaram me perdoando e ainda conversaram com a diretora da escola, dizendo que tudo não tinha passado de um mal-entendido. Eles ficaram bem preocupados, mas depois de um tempo pareceram até satisfeitos por eu ter me divertido. No fim das contas, chegamos a um acordo: eu poderia sair mais vezes com as minhas amigas, desde que só aos finais de semana e que em nenhum momento eu ficasse sozinha com estranhos. Além disso, teria que voltar no máximo dez da noite. Era cedo, mas para quem nem podia sair antes, o toque de recolher era até bem generoso...

— Mas o mais importante — o tio Petrônio falou — é que se você notar que alguém está fazendo muitas perguntas a seu respeito ou te olhando com curiosidade, dê uma desculpa, saia de perto e ligue imediatamente que a gente vai te buscar!

— Isso mesmo — o tio Fausto concordou. — Você pode fazer amigos, mas seja vaga, converse trivialidades. Não fale nada realmente importante!

— E o principal — o tio Florindo falou, também resolvendo dar a sua contribuição na lista de recomendações —, não arrume um namorado!

Agora eles já estavam abusando...

— Mas por que eu não posso gostar de alguém? — perguntei, sem entender. — Eu não sou mais criança... Sei muito bem me defender e acho que tenho capacidade para saber se as pessoas são confiáveis ou não. Claro que não vou fazer nenhuma loucura, tipo fugir para me casar. Mas não vejo mal algum em conhecer garotos, como as minhas amigas vivem fazendo...

— Anna Rosa, você vai ter a vida inteira pra gostar de quem quiser! Mas só depois dos 18 anos! — o tio Fausto falou, meio bravo.

— Pelo amor de Deus! — exclamei, me exaltando também. — Vocês acham que estão em que século? Tenho amigas que começaram a namorar aos 12!

Os três se entreolharam, preocupados, e em seguida voltaram a me olhar sérios, parecendo irredutíveis.

Percebi que, se eu forçasse a barra, só iria fazer com que eles me prendessem de novo. Respirei fundo e resolvi negociar:

— Olha, eu já prometi que não vou conversar sozinha com estranhos. Que volto pra casa antes das dez. Que não vou dar informações confidenciais. E... — Pensei um pouco. — Prometo também que se eu conhecer alguém, conto pra vocês muito antes de virar namoro. Que tal?

Eles se entreolharam, parecendo meio indecisos, então continuei:

— Olha, arrumar um namorado não está fácil assim, tá? Minhas amigas vivem dizendo que está faltando homem no mercado... E eu nem sei se tenho vontade de namorar ainda. Mas não quero que vocês continuem surtando por eu querer ser uma adolescente normal.

— Rosa, nós prometemos pra sua mãe... — falou o tio Florindo, e percebi que os dois irmãos olharam meio espantados para ele, que apenas revirou os olhos e continuou: — Quando sua mãe ainda era *viva*, juramos que cuidaríamos de você, caso algo acontecesse com ela... E infelizmente aconteceu. Então nos sentimos responsáveis. Por favor...

Dizendo isso, ele me abraçou. Os outros dois vieram em seguida, e eu fiquei no meio deles, sorrindo e me sentindo muito amada. Sensibilizada, jurei que eu não iria namorar ninguém até completar 18 anos e prometi a mim mesma que não iria desapontá-los.

Pelo menos agora eu teria um pouco mais de liberdade, por isso eu não via a hora do próximo sábado chegar para ir de novo àquele bar ou a algum outro. Mas, como tudo que a gente espera demora a acontecer, eu sabia que a semana iria custar a passar.

Porém, logo na segunda-feira surgiu uma novidade pra me distrair.

No colégio interno, na parte da manhã, sempre temos as aulas normais, de matérias que caem no vestibular, como Matemática, Português, Física, História. Mas no período da tarde podemos escolher três atividades extraclasses. É possível ter aulas de esportes, de artes, de música, de culinária, de dança, de línguas...

Naquele semestre eu havia escolhido estudar Piano, Canto e Francês.

Eu estava saindo da aula de francês e indo para a sala de música quando senti meu telefone vibrar. De manhã o celular era proibido, mas à tarde, desde que não tocasse durante as aulas, tínhamos permissão para usá-lo.

Vi que tinha chegado uma mensagem. Abri o aplicativo, pensando que seria dos meus tios, mas, para a minha grande surpresa, o texto estava em francês!

> Salut belle! Comment ça va?[1]

Achei estranho, pois além de não ter foto, a mensagem era de um número desconhecido. Mas como eu tinha acabado de sair daquela aula, resolvi treinar um pouco.

> Pardonnez-moi, mais je pense que vous avez triché... Je ne vous connais pas. Et je parle portugais.[2]

[1] Oi, linda! Como você está?
[2] Perdão, mas acho que você se enganou... Eu não te conheço. E falo português.

Pensei que ia ficar só naquilo, mas qual foi minha surpresa quando, menos de um minuto depois, outra mensagem chegou, dessa vez em português.

> Que bom! Eu falo francês, mas minha escrita não é muito boa!

Fiquei olhando para o celular por uns segundos e pensei que devia ser alguma brincadeira das minhas amigas. Provavelmente era a Lia, que queria ser poliglota. Resolvi entrar no jogo.

> Sei que você escreve em francês tão bem quanto em alemão e italiano. Aliás, bem melhor do que eu jamais conseguirei!

A resposta foi imediata.

> Eu não entendo nada dessas outras línguas! Mas pelo pouco que deu pra perceber, seu francês é ótimo! Digo o mesmo do português...

Aquilo estava indo longe demais.

> Eu te conheço??

> Não... Mas eu adoraria te conhecer. Pela foto, você parece muito bonita.

Desliguei o celular imediatamente, pensando se tratar de algum louco. Aquela conversa toda com os meus tios sobre não falar com estranhos e tudo mais, tinha ficado na minha cabeça. Além disso, eles sempre me alertaram sobre os pervertidos do mundo.

Pensei que aquilo fosse o suficiente para desencorajar o indivíduo — provavelmente agora ele iria mandar a mensagem para o número certo, aquele que havia confundido com o meu. Porém, à noite, poucos minutos depois de ligar novamente o celular, quando eu já estava me preparando para dormir, mais uma mensagem surgiu na tela.

> Oi, princesa! Você sumiu hoje à tarde! Acabou a bateria?

Pensei em desligar novamente, mas resolvi acabar com aquilo de uma vez.

> Não, eu desliguei o telefone de propósito. Posso saber o que você quer comigo?!

> Conversar.

> Mas eu nem te conheço!

> Prazer! Eu sou o Phil. Tenho 19 anos. E você?

Toquei a tecla de desligar. Porém quando eu ia apertar, ele mandou mais uma mensagem.

> Olha, não quero te assustar. Sei que você deve estar aí pensando em desligar o celular de novo. Mas é que você despertou minha curiosidade, só isso... Fiquei com vontade de saber mais sobre você.

Fiquei parada só olhando para a tela por uns segundos. Eu podia desligar o celular e esquecer aquilo para sempre. Mas era a primeira vez que um garoto trocava algumas palavras comigo, ainda que por escrito. Que mal poderia fazer? Ele estava do outro lado da linha! Não é como se pudesse me puxar para dentro do celular. Claro que ele poderia estar mentindo a idade, o nome e até o gênero... Mas resolvi arriscar.

> Rosa. Meu nome é Rosa.

> Que nome diferente, Rosa! É muito bonito. Quantos anos você tem?

Eu sabia que não devia dar informações a meu respeito, mas por algum motivo, algo começou a girar dentro do meu estômago. Algo bom... Algo que eu nunca havia sentido. Uma mistura de curiosidade com outra coisa.

> Quinze. Quer dizer... Acabei de completar 16. Como posso ter certeza de que você está falando a verdade? De que não é um psicopata?

> Acho que você vai ter que confiar na sua intuição...

A minha intuição dizia que eu deveria desligar o telefone e até mudar de número. Só que eu simplesmente não conseguia desgrudar os olhos da tela.

> Mas o que você quer? Você me mandou uma mensagem mais cedo por engano, não foi?

> Quero conversar, Rosa, já falei.

Antes que eu pudesse responder, ele mandou outra mensagem.

> E te conhecer melhor. Foi amor à primeira... palavra! Hahaha!

Amor. Por mais que ele estivesse brincando, meu coração deu um leve salto. Céus, isso é o que acontece quando você passa a vida inteira reclusa, sem ter contato com meninos: uma carência do tamanho do mundo! Um cara me manda uma mensagem por engano e eu já fico toda derretida!

> Tenho que desligar. Está tarde e minha colega já está dormindo, meu celular está iluminando o quarto inteiro.

> Colega? Você não tem um quarto só seu?

> Só aos finais de semana. Eu estudo em um colégio interno e durante a semana durmo aqui e divido o quarto com outra menina.

> Posso te chamar amanhã de novo?

Fiquei uns segundos sem responder. Eu sabia que deveria falar não, que do outro lado podia estar qualquer pessoa: meus tios, me testando. Uma das minhas amigas, zoando com a minha cara. Um sem-vergonha qualquer, pronto para me seduzir com suas doces palavras... Mas e se não fosse nada daquilo? E se fosse apenas um garoto que o destino deu um jeito de colocar na minha vida assim, por meio de uma mensagem enviada por engano, considerando que seria bem difícil nos conhecermos de outra forma... A curiosidade estava me consumindo e eu só descobriria a verdade se fosse em frente.

> Pode...

> Você nem imagina o quanto eu estava torcendo para que a resposta fosse essa! Boa noite, princesa! Até amanhã!

Coloquei o celular no criado-mudo ao lado da cama e fechei os olhos. Porém, o ritmo acelerado do meu coração e o trânsito intenso de pensamentos não me deixaram dormir...

Capítulo 8

> Quero saber quem é o responsável por esse sorriso que você não tirou do rosto um minuto hoje! Não adianta esconder! Te conheço há muitos anos e nunca te vi assim... Pensa que eu não ouvi seus suspiros? Maneira aí, amiga, daqui a pouco a professora vai perguntar se você está passando mal!

Olhei na mesma hora para os lados, para descobrir se eu realmente estava dando bandeira ou se era exagero da Clara. Todas as minhas colegas estavam olhando para a frente, prestando atenção na aula, então relaxei um pouco. Virei o bilhete que tinha caído na minha carteira e só escrevi:

> É impressão sua! E para de me passar bilhetes, você sabe que a gente não pode fazer isso!

> Tudo bem, mas depois da aula você não me escapa! Quero saber quem foi que você conheceu na festa que te deixou assim!

Dobrei o papel, tentei me concentrar na explicação da professora, mas, sem perceber, meu pensamento vagou mais uma vez para onde insistia em permanecer havia mais de uma semana: meu telefone.

Depois das primeiras mensagens, ele realmente voltou a escrever no dia seguinte, como disse que faria. Eu havia passado a tarde inteira checando o aparelho, sentindo um misto de ansiedade e de culpa. Eu queria que o garoto entrasse em contato novamente, mas no fundo sabia que aquilo era errado... Por isso, quando meu celular apitou à noite e meu coração deu um pulo, me senti ridícula. Eu não deveria estar feliz daquele jeito!

Mas ele foi ainda mais fofo que na vez anterior e então comecei a perceber que eu teria que me acostumar com meu coração saltitando...

> Oi, menina bonita! Desculpa não ter aparecido antes, fiquei com medo de te atrapalhar... Mas você acredita se eu disser que fiquei pensando em você o dia inteiro?

Por incrível que pareça, eu acreditava — afinal, eu também tinha passado o dia assim. Como isso podia ser possível? Pensar em alguém que eu nem conhecia?

A conversa durou duas horas. A princípio ele quis saber coisas pessoais demais, como o meu sobrenome, onde eu morava, o nome da minha escola... Mas quando percebeu que eu não queria revelar informações tão particulares, prometeu que me perguntaria apenas minhas preferências. Como não era nada que pudesse me expor, não vi mal em responder. E assim eu poderia saber mais sobre ele também...

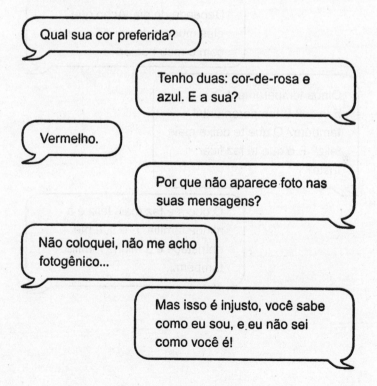

> Injustiça seria eu não saber que existe alguém tão linda assim no mundo...

> Não adianta elogiar para me distrair! Me fala pelo menos a cor dos seus olhos e cabelos?

> Castanho-claros. Os olhos e os cabelos. Seus olhos são verdes ou azuis? Não dá pra ver direito na foto.

> Depende do dia. Acho que eles mudam de cor de acordo com o meu humor.

> Olhos temperamentais... E você? É temperamental também? O que te deixa mais feliz? E o que te faz ficar triste?

> O que me faz mais feliz é a minha família. E o que me entristece é a minha família também...

> Não vou perguntar a respeito porque sei que você não vai responder. Mas, quando a tristeza aparecer, pode me chamar. Posso tentar devolver o seu sorriso.

Eu sorri sem perceber.

> O que mais te irrita?

> Picadas de inseto me irritam muito. Sou completamente alérgica e uma única picada me deixa empolada por dias. Como minha pele é muito clara, fico cheia de brotoejas!

> Aposto que ficaria linda até de catapora! E o que você mais gosta de fazer nas horas vagas?

> Cantar. Tocar instrumentos musicais. Ler. Brincar com meus animais de estimação. Conversar com as minhas amigas.

E acho que agora eu poderia acrescentar também falar com ele...

No outro dia ele me chamou bem cedo. Eu tinha acabado de acordar quando a primeira mensagem chegou.

> Bonjour, mademoiselle! Só estou escrevendo para te desejar um ótimo dia! Que você dê muitos sorrisos hoje pra iluminar o mundo!

> Merci, monsieur! Quanto aos sorrisos... O seu bom-dia foi o responsável pelo primeiro deles! :)

Ele mandou outra mensagem desejando boa-tarde. E atravessamos a madrugada conversando, por mais que eu soubesse que precisava dormir, pois na manhã seguinte eu teria uma prova. Mas acordei superbem-disposta e tirei uma nota ótima!

Recebi mais mensagens no dia seguinte. E no outro. E no depois. As nossas conversas começaram a se tornar parte da minha rotina. Passei a saber mais sobre aquele *estranho* do que sobre a maioria das pessoas que conheci durante toda a minha vida. Eu já sabia que ele fazia faculdade, que era filho único, que os pais viajavam muito, que gostava de esportes e que tinha um cavalo, que ficava no sítio da família. Eu contei que também tinha vários bichinhos, e que morria de saudade deles, já que só podia vê-los aos finais de semana.

E assim se passaram os dias. Eu já acordava ansiosa pela madrugada, que era o momento em que poderíamos trocar mensagens sem pressa.

Até que a sexta-feira chegou.

As minhas colegas estavam muito empolgadas porque seria a primeira vez que eu sairia com permissão dos meus tios e elas ficaram dias pensando aonde iriam me levar. No começo da semana eu estava contando os minutos, mas agora... Tudo o que eu queria era ficar em casa, agarrada no meu celular o dia inteiro!

Mas não tive como escapar — depois de toda aquela discussão familiar, eu não podia dizer que agora não queria mais! Todos iam achar que havia algo estranho. E eu não queria revelar nada sobre o *Phil*. Ele já não era mais um intruso do outro lado da linha. Agora ele tinha um nome. Personalidade. E um lugar nos meus sonhos.

Porém, eu sabia que se contasse para as minhas amigas, todo mundo ia me recriminar, me forçar a parar de falar com ele, tentar me convencer de que ele era um impostor... Mas algo me dizia que ele estava falando a verdade. Por isso eu não queria revelar para ninguém. Ele era o meu segredo.

Dessa forma, no sábado, concordei em ir com elas a uma festa que o primo de uma das meninas estava dando, mas mesmo lá eu não consegui me esquecer do telefone.

> Será que tem um jeito de fazer o tempo passar mais rápido até aquela parte do dia em que eu fico trocando mensagens com um certo garoto?

> Opa! A gente pode providenciar isso! Não está gostando da festa, princesa?

> A festa está legal... Só não tão legal quanto conversar com você.

> Não fala isso, senão vou ter que quebrar a promessa que te fiz de não perguntar coisas pessoais e te pedir o endereço de onde você está... Não vejo a hora de conversar frente a frente com você.

> Quem sabe um dia...

Aquilo era tudo o que eu podia dizer. Eu também não via a hora de conhecê-lo pessoalmente, mas ainda teríamos que esperar. Eu havia prometido para os meus tios.

De repente o sinal bateu avisando que a aula tinha terminado. Até me assustei ao lembrar que eu estava na sala de aula. Tive que interromper as minhas lembranças e voltar para a realidade. Eu precisava sair da sala depressa, antes que a Clara continuasse a fazer perguntas que eu não queria responder. Se ela achava que eu tinha conhecido alguém na festa de sábado, melhor assim. Ela não iria gostar de saber a verdade...

Consegui evitá-la o dia inteiro e à noite só fui para o quarto que nós dividíamos quando vi que a luz estava apagada, sinal de que ela já estava dormindo. Porém, quando me deitei e já estava pronta para começar a sessão de mensagens, ela pulou da cama, acendeu a luz e agarrou o meu celular.

— Ei, devolve isso agora! — gritei, tentando puxar da mão dela.

— De jeito nenhum! Tem dias que você não larga esse telefone! Quero saber que mistério é esse que você está guardando aqui dentro!

— Se fosse pra você saber eu teria te contado! Devolve? Por favor?

Eu estava a ponto de chorar e ela percebeu, pois ficou parada com o celular na mão e apenas falou:

— Achei que você confiasse em mim...

— Eu confio, Clara, só que tem coisas que eu realmente não posso te contar porque...

Naquele instante, meu celular vibrou ainda na mão dela, sinalizando uma mensagem. Eu sabia que era dele.

A Clara olhou depressa para a tela e por um segundo pensei que iria ler o que estava escrito, mas apenas me entregou, dizendo com uma voz meio irônica:

— Porque senão eu vou descobrir que você não é quem eu penso, que uma bruxa te sequestrou quando você nasceu e se eu contar isso pra alguém ela vai encontrar seu esconderijo e vir te pegar?

Tomei um susto, pensando que os meus tios tinham contado também a ela aquela antiga história, mas a Clara completou:

— Cai na real, Anna Rosa! Sua família realmente estragou você com essa superproteção! De tanto viver enclausurada, você criou um mundo paralelo na sua imaginação e acha que a vida é um livro de princesas. Pois saiba que a realidade é diferente. Não existem príncipes destinados para nós desde o nascimento, nem bruxas malvadas, muito menos fadinhas para realizarem nossos sonhos. Na vida real, são os amigos que nos ajudam a conseguir o que queremos. Que nos dão força. Que salvam nossa pele nas épocas difíceis. É uma pena que você não saiba disso. Porque eu achei que poderia te ajudar com o que quer que você estivesse passando no momento.

Ela deitou novamente, me deixando em pé no meio do quarto, com o celular na mão. Nesse momento ele vibrou mais uma vez. Não abri a mensagem; continuei a olhar para a Clara, que agora tinha virado para o lado e colocado o travesseiro em cima do rosto, como se quisesse esquecer que eu estava ali.

De repente, me lembrei do meu primeiro dia no internato. Eu tinha acabado de fazer 11 anos e estava sentindo várias coisas ao mesmo tempo:

1) Tristeza por me afastar dos meus tios.
2) Vergonha por estar com uma mochila da Bela Adormecida, que eles tinham me dado achando que eu iria amar, mas que eu tinha certeza de que faria com que todas as meninas me achassem uma boba.
3) Medo por ter que dormir com uma garota estranha, pois sabia que teria uma colega de quarto.

E então a diretora me apresentou a Clara, dizendo que esperava que ficássemos amigas, pois iríamos dividir o mesmo dormitório. Ela estava usando uma blusa com uma estampa da Branca de Neve e, quando viu a minha mochila, me abriu o maior sorriso e falou:

— Hey, soul sister!

E foi aí que alguma mágica aconteceu, porque a partir daquele momento nós viramos exatamente isso. Irmãs.

— Clarinha, eu confio em você e quero que me ajude! — falei, num ímpeto. Eu não precisava esconder isso dela... Eu tinha certeza de que a Clara não iria me julgar nem me recriminar por estar conversando com um desconhecido.

Ela se virou para mim, mas continuou séria. Foi então que uma terceira mensagem chegou. Ainda sem olhar, mostrei o celular e falei:

— Você não queria saber quem era o tal garoto que estava roubando minha atenção? — Ela ainda pareceu meio resistente, então eu completei: — Eu não o conheci na festa...

— Conheceu onde então? — Ela pulou da cama com um sorriso e pegou o celular da minha mão. Juntei-me a ela para lermos juntas.

> Como você não respondeu às outras mensagens, acho que já está dormindo... Amanhã conversamos então. Só não sei como EU vou dormir sem o seu beijo de boa noite! Bons sonhos, minha princesa adormecida!

— Você está tendo um romance e eu não sabia de nada? Responde pra ele, anda! Fala que você está acordada, sim! Quero ver vocês conversarem!

Eu ri e falei que a conversa com ele podia esperar até a manhã seguinte. Agora eu tinha um assunto muito mais importante ali mesmo. A Clara precisava ouvir aquela história desde o comecinho...

• *Capítulo 9* •

— Então quer dizer que você está apaixonada por um cara que nunca viu na vida? Como isso é possível?

Respirei fundo e peguei o celular da mão da Clara, que tinha ficado mais de meia hora lendo todas as minhas mensagens, parando algumas vezes apenas para fazer perguntas e voltando depressa para a leitura.

— Eu não estou apaixonada! Dá pra entender? Só estou achando legal ter um amigo, pra variar... Aqui no colégio a gente só tem contato com meninas!

Ela me olhou como se não acreditasse nem um pouco na minha desculpa.

— Minha fofa, você pode até não saber, mas está apaixonada, sim! Você está totalmente dando bola pra esse garoto e toda derretida com os elogios dele... Olha só! — Ela selecionou algumas mensagens e me mostrou.

> Como você consegue ser tão meiga, inteligente e sensível ao mesmo tempo? Tenho a impressão de que fizeram uma mistura com tudo que eu gosto e derramaram no seu molde...

> Assim você me deixa sem graça...

> Ah! Tinha me esquecido da pitada de timidez. Sim, alguém realmente roubou a minha receita secreta e entregou para os seus pais!

> Você treina em casa pra ser tão fofo ou já nasceu assim?

Eu tampei os olhos com as mãos, e a Clara riu e falou:

— Mas não pense que isso é ruim, ele também parece estar caidinho...

— Parece? — perguntei, sem conseguir conter o sorriso.

Ela me jogou um travesseiro.

— Olha aí! E ainda duvida que esteja apaixonada! Assume logo, assim a gente pode passar para a parte importante, que é dar um jeito de vocês se encontrarem!

Fiquei séria no mesmo instante. Eu não queria encontrá-lo... Quer dizer, queria, mas não naquele momento. Por enquanto eu só desejava aquilo: saber que ele existia, que estava ali do outro lado da linha, me dizendo coisas cada vez mais lindas e me fazendo sentir uma efervescência por dentro que eu nunca havia sentido...

— Eu não quero encontrar com ele! — falei depressa. — Estou adorando tudo do jeito que está. E o que é isso agora? Você virou especialista em amor? Você nunca gostou de nenhum garoto, não que eu saiba!

— Mas isso não quer dizer que eu não reconheça um casal apaixonado quando vejo um bem na minha frente! — Ela apontou para mim. — Rosa, você não quer saber como ele é? Não tem vontade de que ele diga tudo isso ao vivo, pertinho de você?

Suspirei. Claro que sim. Só que ainda não era o momento...

— E se ele for feio? — falei a primeira coisa que me veio à cabeça. Na verdade eu não me importava nem um pouco com isso. Eu tinha criado uma imagem na minha cabeça com a descrição que ele havia feito de si mesmo, e para mim ele parecia mais um príncipe encantado. Mas eu sabia que iria gostar dele independentemente de sua aparência.

— Beleza não é o mais importante! — A Clara franziu a testa. — Mas acho que você tem que encontrá-lo pelo menos pra saber se ele é tudo isso que parece. E se ele for bem mais velho e estiver te enganando?

— Ele não soa como alguém mais velho... — afirmei. — E acho que ele não mentiria tão bem assim.

Pelo menos era nisso que eu queria acreditar.

— Tenho uma ideia! — ela falou depois de pensar um pouco. — Você precisa ouvir a voz dele! Acho que, pelo jeito de falar, pelo tom, você vai conseguir perceber melhor se ele está sendo realmente sincero...

• 77 •

Eu não duvidava da sinceridade do Phil. Mas fiquei pensando naquilo. Eu já adorava conversar com ele por escrito. Ouvir a voz dele poderia ser ainda melhor... E daria na mesma, afinal, o meu telefone ele já tinha, tanto que me mandava mensagens. Era só eu continuar direcionando a conversa para assuntos superficiais.

— Vou pensar nisso — falei. — Agora eu preciso dormir!

— Pra noite passar logo e você receber uma mensagem dele pela manhã, não é? — ela respondeu com um ar brincalhão.

Apenas revirei os olhos e deitei na cama. Ela apagou a luz e tornou a se deitar também. Quando eu já estava quase dormindo, ela perguntou baixinho:

— Rosa, como é estar apaixonada?

Eu pensei em fingir que já estava dormindo ou dizer novamente que aquilo não era paixão. Mas, em vez disso, peguei meu celular e falei:

— Não sei. Mas isso que eu estou sentindo é uma euforia louca que me dá vontade de sair dançando pelos corredores da escola... Mas ao mesmo tempo esconde uma tristeza sutil, que parece morar no lugar mais fundo do coração. E isso tudo me faz sorrir e chorar, por ser tão bom e tão dolorido ao mesmo tempo. Dá pra entender?

Ela ficou calada um tempo e então respondeu:

— Acho que sim. O amor deixa as pessoas loucas, é isso?

Eu sorri no escuro e segurei meu telefone com mais força. Sim, aquilo provavelmente era loucura. Mas o mais estranho é que eu não queria me curar...

• *Capítulo 10* •

Nunca um dia passou tão devagar. Depois de ter ficado metade da noite conversando com a Clara, tudo o que eu queria era que as horas voassem. Eu tinha resolvido aceitar a sugestão dela, e agora precisaria colocar o plano em prática.

Eu teria que desligar o celular durante o dia e só religar à noite. E, assim que ele tentasse falar comigo e mandasse a primeira mensagem, em vez de responder, eu telefonaria. Apesar de estar morrendo de vergonha e com medo de que ele não gostasse e me tratasse mal, a Clara me convenceu dizendo que tinha certeza de que ele amaria a surpresa. Mas, caso não gostasse, pelo menos eu saberia que havia algo errado, pois se era verdade o que ele sempre dizia — que queria me encontrar —, falar no telefone não deveria assustá-lo.

Apesar disso, passei o dia inteiro ansiosa, pensando se essa seria mesmo a coisa certa a fazer. E se a voz dele fosse de taquara rachada? E se falasse como um velho maníaco e eu descobrisse que ele mentiu esse tempo todo? E se suas palavras soassem como as de um vilão de filme?

— Você vai ficar louca e me enlouquecer também! — A Clara tampou a minha boca depois de eu ter repetido essas perguntas pela milésima vez. — Se ele for um farsante, você vai saber logo, esse é o motivo principal do telefonema! Relaxa! Se ficar muito nervosa, você é que vai estar com uma voz esquisita na hora da ligação e então ele é que vai achar que a sua meiguice era apenas por escrito!

Ótimo, mais um motivo para ficar ansiosa: o que ele iria pensar da *minha* voz. Cheguei a ponto de perguntar para o meu professor de canto se ele achava que meu timbre era muito estridente. Ele pareceu surpreso com a minha pergunta e respondeu:

— De forma alguma, Anna Rosa! Das sopranos da escola, você é a que apresenta nuances mais delicadas na voz! De onde tirou essa ideia?

Claro que eu não ia falar a verdade, então apenas respondi que tinha cismado com aquilo. Quando eu já estava saindo da sala, ele ainda me perguntou se já tinha comunicado aos meus tios a data da apresentação do final do semestre. Eu logo respondi que sim, embora tivesse esquecido completamente! Já era dali a poucas semanas e eu nem mesmo havia escolhido as minhas músicas. A cada seis meses as alunas que participavam de atividades artísticas na parte da tarde faziam uma espécie de show. Não era nada grandioso, apenas uma apresentação para os pais e convidados. No meu caso seriam duas: piano e canto.

Pelo menos isso serviu para que eu pensasse em outra coisa. Resolvi que o melhor seria fazer uma performance só, assim precisaria escolher apenas alguma canção que eu soubesse tocar e cantar ao mesmo tempo.

Por volta das sete da noite, liguei meu celular e ele imediatamente apitou.

> Está aí, princesa?

Ainda bem que a Clara estava no quarto comigo, senão provavelmente eu não teria coragem de seguir em frente com o plano.

— Não responde! Liga pra ele, vai! — ela incentivou, percebendo que eu estava indecisa.

— Mas e se...

— *E se* nada, Anna Rosa! Até eu estou curiosa pra ouvir a voz desse cara! E aposto que ele está morrendo de vontade de ouvir a sua também! Liga, por favor!

Respirei bem fundo, tomei coragem e selecionei o nome dele, que já estava na agenda.

O telefone chamou uma vez, e eu pensei que ia desmaiar de agonia. Duas, e achei que meu coração ia sair pela boca. Quando ia começar a chamar pela terceira vez, e eu estava a ponto de ter um ataque, ele atendeu.

Eu estava preparada para *quase* tudo. Pensei que uma mulher pudesse atender. Que o alô seria de um "pai de família". Que a pessoa tivesse a voz fanhosa, que trocasse as letras, que falasse com algum sotaque estranho. Eu só não estava pronta para o que eu realmente escutei.

— Rosa? — A voz mais doce, fofa e aveludada do mundo falou o meu nome. Coloquei a mão no peito e sentei na cama, enquanto a Clara me abanava, perguntando aos sussurros o que estava acontecendo.

Fiz sinal para que ela ficasse em silêncio e respondi, rezando para a minha voz sair audível:

— Desculpa te ligar sem avisar... Mas é que ontem não pude responder as suas mensagens e hoje fiquei ocupada o dia inteiro, então preferi telefonar para me desculpar. Quer dizer, por não ter respondido. Quer dizer, por isso e por te ligar sem avisar...

Eu sabia que estava repetindo o que eu já tinha dito, então a Clara começou a rir e fez sinal para a porta, avisando que ia esperar lá fora para que eu ficasse mais à vontade. Eu não estava bem certa de que queria que ela saísse, mas assim que fechou a porta, o Phil tornou a falar e acho que, mesmo que ela tivesse ficado, eu não a enxergaria. Aquela voz me transportou para um mundo só nosso...

— Não acredito... Isso é sério? Essa voz linda é sua mesmo?

— Acho que eu poderia ter dito essa frase... — falei, rindo, mas me arrependi no segundo seguinte. Agora ele me acharia uma atirada!

— E que risadinha mais gostosa! Menina, como isso é possível? Você não tem nenhum defeito?

Eu poderia enumerar vários, mas o meu tio Florindo sempre me ensinou a não chamar a atenção para eles, pois assim acabamos colocando sob os holofotes algo que só nós enxergamos. Por isso preferi mudar de assunto.

— Ontem eu não estava dormindo na hora que você mandou as mensagens, mas estava tendo uma conversa séria com a Clara, a minha melhor amiga, e não podia ficar pra depois... Quando terminamos de conversar já estava tarde e não quis correr o risco de te acordar. Desculpa?

— Desculpar? Isso foi a melhor coisa que já aconteceu! Se eu soubesse que, por não poder responder uma mensagem, você me ligaria, eu já teria pedido pra você ter conversas sérias com a sua amiga muito antes!

— Minha voz é como você imaginava? — perguntei curiosa.

— Muito mais linda! Se você soubesse quantas vezes tive vontade de ligar para saber como ela era... Mas fiquei com medo de te assustar. Bem, a espera valeu a pena! Parece até que todas as suas palavras vêm junto com uma melodia...

Melodia era o que parecia estar me cercando agora. Como se eu estivesse dentro de um daqueles filmes da Disney em que os personagens estão sempre felizes e cantam o tempo todo.

— E como foi o seu dia, princesa? — ele perguntou, fazendo meu coração disparar mais uma vez. Eu adorava quando ele escrevia "princesa" para mim, mas ouvi-lo falar isso, era muito melhor.

— Normal. Aulas e mais aulas. E o seu?

— Na verdade não foi muito bom, sabe? Passei o dia pensando que alguém tinha se cansado de mim e estava me ignorando... Se eu soubesse que teria uma surpresa dessas no final do dia, certamente teria ficado feliz desde o amanhecer!

A Clara voltou a entrar no quarto, trazendo um papel na mão, que levantou para que eu pudesse ler. Estava escrito em letras garrafais.

> FALA QUE TEM QUE DORMIR CEDO E DESLIGA, ASSIM ELE FICA COM "GOSTINHO DE QUERO MAIS" E ANSIOSO PELA PRÓXIMA VEZ!

Eu não queria desligar ainda... Por mim ficaria ouvindo aquela voz a madrugada inteira. Mas, se a Clara não tivesse me convencido, eu nem teria telefonado. Então resolvi seguir o conselho dela mais uma vez.

— Phil, o problema é que eu já tenho que desligar, porque amanhã preciso acordar cedo pra estudar piano. Daqui a alguns dias tenho uma apresentação que eu tinha esquecido, e agora tenho que compensar o tempo perdido...

Ainda bem que a conversa com o meu professor tinha ficado na minha cabeça, assim pude dar uma desculpa *meio* convincente.

— Já? — Ele pareceu decepcionado. — Que pena. Por mim eu nem dormiria, só pra ficar ouvindo você falar. Mas eu entendo. Só me promete uma coisa?

— O quê? — perguntei, curiosa, com medo de ser algo que eu não pudesse cumprir.

— Promete que você vai tocar piano para mim algum dia? Mesmo que seja pelo telefone?

Abri o maior sorriso. Acho que aquilo eu poderia fazer.

— Prometo.

— Espero que não demore! Se sua voz já parece música, imagino o que você faz com um instrumento... Mal posso esperar para ouvir.

Dei um suspiro e falei:

— Adorei falar com você, Phil.

— Garanto que eu adorei mais ainda! Agora só tem um problema...

— O quê? — perguntei meio preocupada.

— O que eu faço com essa vontade que me deu de te puxar pro lado de cá da linha?

Aquela pergunta eu não sabia responder. Porque eu estava com o mesmo problema.

• *Capítulo 11* •

— Não vai ter festa desta vez?

Era sexta-feira, e já estava na hora de os meus tios me buscarem pra passar o fim de semana em casa. Eu estava aproveitando pra conversar com o Phil pelo telefone, pois sabia que durante os próximos dias teríamos que voltar ao método antigo: as mensagens. Meus tios com certeza perceberiam que eu não estava falando com uma amiga se me ouvissem conversar com ele...

Depois da primeira noite, ouvir aquela voz se tornou essencial. Era como se meu dia só ficasse completo assim; acho que eu poderia viver sem ar, mas não sem ouvi-lo dizer meu nome! A Clara, quando entrava no quarto e me via falando baixinho e sorrindo, já sabia do que se tratava. Ela só bufava, brincando e dizia:

— Ah, esse namoro... Sabia que tem dois corações no lugar dos seus olhos?

Eu ria, mas ela estava certa. Era impossível esconder minha felicidade quando falava com ele. Por isso, no fim de semana, as ligações teriam que ser interrompidas, para que meu olhar e meu sorriso não me delatassem.

— Este fim de semana não — respondi à pergunta que o Phil havia feito. — Está todo mundo treinando para as apresentações. Eu, especialmente, vou ter que passar o sábado e o domingo inteiros por conta disso. Acredita que eu ainda nem escolhi o que vou tocar e cantar? Não consigo encontrar a música ideal.

— Posso te ajudar?

Ei, essa era uma boa ideia... Assim eu poderia descobrir um pouco sobre o gosto musical dele também.

— Pode, claro! Que tipo de música você curte? — perguntei.

Ele ficou um tempinho calado e então falou:

— Olha, eu gosto de quase tudo. Adoro rock. Um pouco de pop. Escuto também música clássica. E até heavy metal! Mas acho que sua voz, pelo menos falando, parece um pouco com a daquela cantora, a Colbie Caillat, sabe quem é?

Claro que eu sabia! Era uma das minhas cantoras preferidas!

— Eu adoro a Colbie! — respondi, surpresa e feliz por ele ter comparado nossas vozes.

— Então? Por que não escolhe uma música dela? Será que é difícil?

Havia tantas músicas da Colbie que eu adorava que o difícil seria escolher uma só. De repente, me lembrei da DJ Cinderela. No dia do meu aniversário, quando ela estava tocando no bar que as meninas me levaram, eu havia pedido para ela tocar *Rainbow*. Além de ser da Colbie, a letra falava sobre esperar por alguém que chegaria depois que a chuva passasse. E, coincidentemente, logo depois a DJ falou que o meu amor não tardaria a aparecer... Será que ela era vidente?

— Já escolhi! — falei, decidida. — Conhece *Rainbow*?

Para minha surpresa, em vez de responder ele cantou um trechinho do refrão, o que fez meu coração disparar.

"Wherever you are, where will you be, are you the same or dreaming on the other side waiting for me?"[1]

— Você canta também? — perguntei, surpresa. A voz dele era ainda mais bonita cantando do que falando.

— Só no chuveiro! — ele respondeu, rindo. — E só sei a letra porque essa música grudou na minha cabeça uns dias atrás, aí acabei decorando esse trecho...

— Pois deveria cantar! Sua voz é linda!

Ele riu, brincou que tinha compaixão pelo ouvido das outras pessoas e perguntou:

— Mas então, esse tal show é aberto ao público?

---
[1] *"Onde quer que você esteja, onde você venha a estar, você é a mesma ou está sonhando do outro lado esperando por mim?"*

Eu estava sorrindo, mas a pergunta fez com que eu ficasse séria no mesmo instante. Sabia o que ele estava pensando.

— Não é bem um show, é só uma apresentaçãozinha. E é apenas pra família, Phil — falei baixinho. Aquilo era a maior mentira, pois a gente podia convidar quem quisesse.

— Ah, que pena... — ele respondeu, parecendo meio triste. — Pensei que talvez eu pudesse assistir. Seria uma boa oportunidade para nos conhecermos pessoalmente.

Fiquei calada. Ele vinha insistindo para que nos encontrássemos, e eu não tirava a razão dele. A minha vontade de vê-lo também aumentava a cada dia, mas eu não podia esquecer que tinha prometido aos meus tios que não me envolveria com ninguém.

— Não tem problema — ele continuou a falar —, espero te ver cantando e tocando muitas vezes no futuro...

— Espero que sim... — falei, desejando que aquele futuro não estivesse muito distante.

Meus tios chegaram para me buscar e passei o fim de semana inteiro ensaiando a música. Na segunda-feira, durante a aula de canto, o professor ficou até surpreso, já que três dias antes eu sequer tinha escolhido a canção.

— Você está cantando com tanto sentimento, Anna Rosa! — ele falou quando terminei. — Acho que vai receber muitos aplausos! E estou surpreso com sua escolha.

Normalmente você escolhe músicas mais tristes. Por acaso você vai dedicar esse número para alguém especial na plateia?

Ele falou aquilo rindo e nem esperou pela minha resposta — foi direto até outra aluna para ouvir a música dela —, mas aquilo foi o suficiente para que eu enrubescesse e ficasse meio para baixo. Eu gostaria tanto que tivesse *alguém* na plateia me assistindo...

Mais tarde, no quarto, ao me ver meio pensativa, a Clara perguntou o que estava acontecendo.

— Nada — respondi, olhando para o meu celular. — Só estou esperando o Phil me ligar.

Ela colocou um fone no ouvido, coisa que vinha fazendo todos os dias enquanto eu ficava no telefone. Segundo ela, assim não precisava ficar morrendo de inveja ao ouvir aquela conversa apaixonada. De repente ela tirou o fone e falou:

— A Jussara veio me perguntar hoje se você estava namorando... Parece que ela ouviu o professor de canto te perguntar algo a respeito.

— O que você respondeu? — perguntei depressa. Não imaginava que mais alguém tivesse ouvido. — Ele apenas comentou que eu escolhi uma música romântica e questionou se teria uma pessoa especial para assistir à minha apresentação. Só isso! Poxa, se isso vira um boato e cai no ouvido dos meus tios, eles vão me matar!

— Relaxa! Eu falei pra Jussara que o professor deve ter se confundido, afinal você não conhece garoto nenhum! E ela acreditou. Todo mundo sabe que seus tios te educam como se a gente estivesse no século XIX, ela sabe que você não tem permissão pra namorar. Talvez por isso tenha ficado curiosa.

Fiquei mais tranquila, mas aquela melancolia que eu sentia desde cedo aumentou. Para piorar, quando o Phil me ligou, contou que dali a poucos dias precisaria viajar e que teríamos que ficar umas semanas sem conversar. Nós poderíamos continuar a trocar mensagens, mas agora que eu tinha me acostumado à voz dele, como voltar ao estágio anterior? Eu queria mais, não menos! A vontade de vê-lo aumentava a cada dia e agora eu percebia que a paixão, que me fazia sentir coisas maravilhosas, acompanhava sentimentos não tão maravilhosos assim... Eu morria de saudade se ele demorava a ligar, e estava cada dia mais revoltada por não poder me encontrar com ele. E agora, um pensamento frequente não saía da minha cabeça: que durante aquela viagem, o Phil iria me esquecer.

Essa ideia fixa aliada ao estresse do final do semestre fez com que algo inédito acontecesse... Eu tirei uma nota baixa. Não cheguei a perder média, mas tirei 7 em uma prova de Matemática. Normalmente eu tirava 10 em tudo, ou, no mínimo, 9,5. Mas isso foi o suficiente para que a diretora marcasse uma consulta para mim com a psicóloga da escola. Fiquei apreensiva de que chamassem os meus tios também, e eles acabassem achando que a razão da nota baixa tivesse sido o fato de permitirem que eu saísse com as minhas amigas, mas assim que cheguei à consulta, vi que não precisava me preocupar. A psicóloga estava sozinha e me deixou bastante à vontade. Além disso, ela era bem jovem e parecia realmente querer ajudar.

— Anna Rosa Lopes — falou ela, olhando um relatório em cima da mesa. — A diretora pediu para eu conversar com você. Segundo sua ficha, seus pais faleceram quando você tinha cinco anos e desde então você mora com os tios.

Ela me olhou para ver se eu confirmava. Apenas assenti, e ela continuou:

— Você estuda aqui desde os 11 anos e, durante todo esse tempo, sempre teve uma conduta exemplar. Agora, porém, em um intervalo de menos de um mês, mentiu para a família e para a escola, está chegando atrasada às aulas, com um ar de cansaço e, pra completar, tirou uma nota inferior ao seu usual.

Ela tornou a me olhar, e eu baixei os olhos. Não tinha como dizer que qualquer uma daquelas coisas era mentira...

— Tem algum motivo por trás disso? Alguma coisa diferente vem acontecendo na sua vida nesse momento? Algo novo que esteja tirando a sua concentração?

Olhei para baixo antes de responder um "não" muito baixinho. Era fácil mentir para as minhas amigas e até para os meus tios, mas aquela mulher parecia estar acostumada a ler pensamentos.

— E será que... não teria algum novo namorado? Ou talvez uma paixão platônica, alguém que possa estar monopolizando os seus pensamentos?

Respirei fundo e pensei por alguns segundos. Vendo que eu estava indecisa sobre me abrir ou não, ela observou:

— Anna Rosa, tudo o que acontece nas minhas consultas é confidencial. Nada do que você me disser será repassado para a direção da escola ou para sua família. Existe um código de ética profissional — ela apontou para o diploma na parede.

Talvez por isso, ou por não aguentar mais me segurar, despejei tudo de uma vez só. Contei que eu tinha conhecido um garoto pelo celular e que vínhamos conversando diariamente já havia algum tempo, que eu morria de vontade de encontrá-lo, mas que estava com medo de me decepcionar ou de desapontá-lo, e que, caso não houvesse desilusão nenhuma, a situação ficaria ainda pior, pois meus tios não queriam que eu namorasse até fazer 18 anos. Ah, e para completar, o menino agora iria fazer uma viagem e teríamos que ficar sem conversar durante alguns dias. Eu estava com medo de que o sentimento esfriasse e ele se esquecesse de mim!

Ela foi fazendo várias anotações enquanto eu falava, e às vezes me interrompia para fazer perguntas. Quando terminei, ela leu tudo, tirou os óculos e falou:

— Anna Rosa, acho que você e seus tios de certa forma nunca se recuperaram completamente da perda dos seus pais. Eles acham que devem criá-la sob uma redoma de vidro por vários motivos: primeiro, pelo próprio trauma da perda da irmã... É como se você fosse uma continuação da sua mãe, e eles não querem te perder também. Ainda que essa "perda" seja para o coração de um rapaz. Em segundo lugar, eles também acham que precisam te vigiar, como se devessem isso para seu pai. Você me disse que eles são solteiros e que têm muitas namoradas; bem, talvez pensem que todos os homens do mundo não gostem de compromisso e temem que você possa acabar sofrendo caso se apaixone.

Ei, ela era boa. Aquilo tudo fazia sentido!

— E você, por outro lado — ela continuou —, como perdeu os pais muito cedo, possui uma insegurança natural. Uma necessidade interior de aprovação e afeto. Exatamente pelo fato de seus tios terem te criado com tanto carinho, você pensa que talvez eles tenham feito isso apenas como uma forma de compensação por você ter crescido sem o restante da sua família por perto. Por isso está com essa sensação de que o garoto pode não gostar realmente de você, que pode não te achar boa o suficiente... E talvez também seja por isso que essa paixão tenha acontecido tão rápido. Pelo que entendi, ele foi o primeiro menino que te elogiou e fez com que você se sentisse desejada.

Hum, dessa vez ela havia acertado apenas em partes. Eu tinha me apaixonado pelo Phil não apenas por causa dos elogios que ele me fazia. Eu gostava do jeito dele. Da voz. Da risada. De quando ele me contava sobre o seu dia a dia. Do seu amor pelos animais. E do jeito que ele me tratava também, claro.

Comuniquei isso a ela, que apenas retrucou:

— Anna Rosa, para você saber se é mesmo real ou apenas uma ilusão, vai ter que dar um passo a frente. Não adianta ficar pensando e sentindo tudo isso e adiar o encontro, pelo quê? Mais dois anos? Se você deixar, seus tios vão te prender mesmo até você ser maior de idade, pode ter certeza! E isso vai gerar cada vez mais frustração. O moço pode, sim, desistir de esperar. Você vai ficar triste, revoltada, amarga e com raiva dos tios. Por isso, acho que você deve conversar com eles, falar que quer se encontrar com esse Phil, e que eles deviam te apoiar. Se não fizer isso, suas notas realmente vão despencar. Quando o coração está inquieto, a cabeça dificilmente consegue se concentrar.

Ela olhou o relógio e falou que tinha que atender outra aluna, mas que eu poderia procurá-la sempre que quisesse conversar.

Agradeci, me despedi e falei que com certeza faria isso. Porque, ao sair da sala dela, eu estava me sentindo muito mais leve! Ela havia dito tudo que eu precisava escutar... e agora eu já sabia o que tinha que fazer.

Capítulo 12

—Phil, quero te fazer um convite — falei assim que ele me ligou naquela noite.

— Um convite? — ele pareceu curioso. — Espero que não seja para os próximos quinze dias... Você está lembrando que vou viajar amanhã, né?

— Estou — respondi, meio triste. Claro que sim, era tudo em que eu pensava atualmente. — Eu acho que você já vai ter voltado.

Eu tinha feito os cálculos mais cedo e, se tudo estivesse certo, a apresentação seria exatamente no dia seguinte à chegada dele.

— Então a resposta é sim! — ele falou com uma voz animada que me fez sorrir.

— Você nem sabe o que é... E se te convidar para algo ruim?

— Com você? Impossível! Qualquer coisa com você com certeza vai ser muito bom!

— Na verdade não é exatamente *comigo*... — falei depressa, antes que ele se decepcionasse com o que eu ia dizer. — É só que eu descobri que posso chamar outros convidados para minha apresentação de música além da minha família. E, como você tinha me perguntando se podia assistir... Bem, eu gostaria muito que você viesse, se puder, é claro. Eu vou morrer de vergonha, mas adoraria finalmente poder te encontrar.

Eu havia pensado muito naquilo durante o dia. A apresentação seria a ocasião ideal. Apesar de confiar na minha intuição, todos aqueles conselhos dos meus tios ainda estavam entranhados na minha mente. Por isso, eu não queria encontrá-lo sozinha, pelo menos não na primeira vez. Na escola eu estaria em segurança, com tantas pessoas ao meu redor, inclusive os meus tios. E então, se sentíssemos ao vivo tudo aquilo que sentíamos um pelo outro ao telefone, eu estaria pronta para enfrentar minha família, a escola e quem quer que fosse.

— Estarei na primeira fila! — ele respondeu. — Pode me falar o dia, local e endereço?

— Te envio por mensagem — falei me sentindo muito feliz de repente. Eu iria encontrá-lo!

— Nem acredito! Eu estava supertriste porque ia ficar com saudade da sua voz durante a viagem... Mas agora acabou a tristeza! Vou ficar o tempo todo sorrindo só por saber que, quando voltar, vou te ver! — ele acrescentou, verbalizando exatamente o que eu estava sentindo.

Conversamos por mais meia hora até ele dizer que tinha que desligar, já que teria que chegar no aeroporto de madrugada.

— Tchau, princesa. Vou morrer de saudade. Te mando uma mensagem assim que possível, tá?

— Vou ficar esperando.

Ele ficou um tempo calado e até cheguei a pensar que tinha desligado, mas então falou:

— Rosa... quando voltar preciso te contar uma coisa.

— Sobre o que? — perguntei preocupada.

— Sobre mim. Tem algo que eu meio que ocultei... Mas prefiro falar pessoalmente.

Fiquei calada pensando o que poderia ser. Antes que eu chegasse a alguma conclusão, ele continuou:

— Não sou louco, nem pervertido, nem um vilão, ok? Não precisa ficar preocupada.

Nas nossas primeiras conversas eu tinha mesmo a desconfiança que ele fosse uma daquelas coisas, mas aos poucos ele acabou com as minhas suspeitas. Era exatamente por isso que eu nem imaginava o que seria aquela revelação.

— Puxa, Phil... Precisava falar isso? Agora vou ficar curiosa até você voltar!

Ele riu e afirmou apenas:

— Não é nada grave... Olha, como compensação vou te mandar uma surpresa agora.

No mesmo momento meu celular apitou. Olhei para a tela e quase perdi a voz. Era a foto de um garoto. O mais lindo que eu já tinha visto na vida!

— É você?! — consegui falar depois de um tempo.

— É pra você ir se acostumando, afinal vamos nos ver em breve. Não queria que você se decepcionasse quando a gente se encontrar... Mas agora está tarde, eu realmente tenho que dormir, princesa. O voo é muito cedo. A gente conversa direito quando eu voltar. Não esquece de me mandar os detalhes da apresentação, tá?

E então ele mandou um beijo e desligou.

Fiquei paralisada por uns minutos, sem conseguir acreditar que algum dia tinha passado pela minha cabeça que ele pudesse ser feio... Ele era exatamente como eu havia sonhado!

Enviei depressa o nome e endereço da escola, além do dia e horário. Passei uns segundos olhando para o celular para ver se ele ia escrever mais alguma coisa, mas a tela aos poucos escureceu e o visor se apagou.

Eu me virei para o lado e vi que a Clara já estava dormindo, então apaguei a luz também, deitei abraçada ao meu telefone e fechei os olhos. Quem dera eu pudesse adormecer por 15 dias... Assim eles passariam muito mais depressa.

◆ ◆ ◆

> Princesa, cheguei e correu tudo bem na viagem. Já estou com saudade da sua voz. Quando der escrevo mais. Beijo.

> Que bom, Phil! Também já estou sentindo falta de falar com você! Escreve logo! Beijo!

> Oi, menino! Esqueceu de mim? Já tem três dias desde que você chegou e não deu mais notícias... Saudade! Beijo!

> Desculpa se estou sendo insistente, mas é que estou meio preocupada. Você viajou há uma semana e sumiu desde o primeiro dia... Está tudo bem com você?

> Phil, não vou mais te escrever porque sei que estou sendo chata. Além do mais, agora faltam poucos dias para a sua volta. Espero que você esteja ótimo e o motivo por não me escrever seja só falta de tempo... Um beijo.

Capítulo 13

Depois que o Phil viajou, foi como se o mundo tivesse ficado em câmera lenta. Acordei dia após dia desejando receber qualquer sinal, mas as horas passavam e o meu telefone permanecia silencioso. Ele havia simplesmente desaparecido depois de me mandar uma única mensagem... E aquilo acabou me afetando mais do que eu esperava.

A primeira a perceber foi a Clara. Depois de dias sem notícias, acabei caindo no choro na hora de dormir. Ela ouviu e acendeu a luz do quarto depressa, perguntando se eu estava bem. Tive que explicar que eu achava que havia alguma coisa errada, pois ele não deixaria de me mandar mensagens, muito menos de responder as minhas.

Ela falou que era pra eu ficar tranquila, pois talvez o Phil estivesse em algum lugar onde o sinal do celular não estivesse bom...

— Pra onde ele foi afinal? — ela perguntou quando minhas lágrimas já estavam um pouco mais controladas.

— Não sei, ele não disse — respondi, enxugando o rosto. Eu fiquei com vontade de perguntar, mas a gente se acostumou a conversar sem revelar detalhes pessoais.

— Só contou que ia encontrar os pais.

Ela pensou um pouco e falou:

— Talvez ele tenha ido para o exterior, a linha dele não deve funcionar por lá...

Eu balancei a cabeça. Já tinha pensado em todas as possibilidades. Sim, aquilo podia ter acontecido, mas com certeza ele tinha acesso ao Wi-Fi em algum lugar, poderia se conectar e me enviar uma mensagem.

— Estou com um pressentimento ruim... — completei, depois de explicar minha teoria para ela.

— É só saudade... — ela falou, passando a mão no meu cabelo. — Dorme que passa. Quem sabe ele não vai aparecer amanhã?

Eu concordei só porque percebi que ela estava louca para voltar para cama, mas não consegui pregar os olhos. Fiquei imaginando mil possibilidades. Que ele tinha sido atropelado. Que podia ter sido sequestrado. Que havia sido assassinado... Quando percebi que eu estava parecendo meus tios, com aquela imaginação toda, vi que estava sendo ridícula, e resolvi pegar o livro de Química para estudar. Eu precisava voltar um pouco pra realidade. Logo o sono apareceu, e eu finalmente consegui dormir.

No sábado seguinte foi a vez dos meus tios desconfiarem de que eu não estava bem. Eu não conseguia sorrir e continuava agarrada ao celular.

— Não vai sair com as amigas hoje? — o tio Florindo perguntou. Eu só murmurei que não e continuei a olhar pela janela. Ele deu de ombros e me deixou em paz.

Mais tarde o tio Fausto bateu na porta do meu quarto. Assim que abri, ele perguntou:

— O que é isso que você está escutando? — Ele já foi abaixando o volume. — Estou quase entrando em depressão!

Eu nem havia percebido que o som estava alto. Era uma seleção que eu tinha feito só com canções bem tristes, que refletiam exatamente o que eu estava sentindo.

— Música — respondi, voltando para cama, onde eu tinha passado boa parte do dia. Ele não aceitou minha resposta tão facilmente quanto o tio Florindo. Desligou o som, se sentou ao meu lado, colocou a mão na minha testa e perguntou se eu estava me sentindo bem.

Por mais que estivesse me sentindo muito mal, assenti e falei que estava apenas cansada, que queria aproveitar o fim de semana pra relaxar.

— Não vai estudar piano? — ele insistiu. — A apresentação já é na outra sexta-feira, não é?

A última coisa que eu queria era me sentar ao piano e tocar aquela música. Porque se eu fizesse isso, aí sim iria ficar triste de verdade. Cada acorde dela me lembrava o Phil...

Por fim ele me deixou em paz. Porém, quando eu já estava me preparando pra dormir, o tio Petrônio — o único que tinha ficado em casa comigo naquele sábado à noite — resolveu tirar o meu sossego também.

— Você teve alguma discussão com a Clara? Ou talvez com a Ana, a Jussara...

Antes que ele dissesse o nome de todas as minhas colegas, interrompi:

— Não briguei com ninguém. Todas as meninas estão ótimas. Elas queriam que eu saísse com elas hoje, mas eu falei que precisava estudar. Só que, quando acordei, vi que ainda estava cansada e resolvi tirar o dia de folga. Será que eu não posso fazer isso sem que vocês aprontem o maior interrogatório?

Ele franziu a testa, parecendo ofendido, se afastou e apenas respondeu:

— Não sei onde você aprendeu a ser grossa assim. Desculpa por querer ajudar.

Imediatamente me senti culpada. Eu não deveria descontar os meus problemas nele. Nem nos meus outros tios.

— Tio, desculpa... — falei, sem graça, antes que ele saísse do meu quarto. — É o fim do semestre, estou com muita coisa na cabeça. Não queria ter falado desse jeito.

Ele me olhou por um tempinho antes de dizer:

— Eu te conheço, querida. Não é só isso. Você já passou por vários finais de semestre e nunca te vi assim...

Desejei poder dizer a verdade, mas eu sabia que, se fizesse isso, ele contaria para os outros e eles tomariam meu celular, me tirariam da escola e provavelmente me trancariam naquele quarto para sempre. Por isso, apenas falei que era impressão dele, que eu estava mesmo muito cansada e que inclusive já ia dormir, para acordar melhor no dia seguinte. Ele concordou, me deu um beijo na testa e me deixou sozinha.

O começo da semana me distraiu um pouco, afinal, eu realmente tinha que estudar para as provas, mas meu humor continuou despencando. Tanto que, na terça-feira, todas as minhas amigas me rodearam assim que a aula terminou.

— O que houve? — perguntei, achando aquilo muito estranho. Da última vez que elas tinham se juntado em volta de mim havia sido no dia do meu aniversário.

— A gente quer saber o que você fez com Anna Rosa, sua impostora! — a Lia disse com os braços cruzados. — Essa aí não pode ser ela.

— É! — A Jussara se postou na minha frente. — O que você fez com a nossa amiga sorridente, que vivia com o astral sempre lá em cima?

Então era isso... No próximo semestre eu definitivamente ia trocar a aula de canto por teatro. Precisava de um curso de interpretação urgente, pra não deixar que o mundo inteiro percebesse qualquer mudança no meu temperamento.

— Sabe o que está parecendo? — A Vivian se sentou ao meu lado. — Que você foi traída. Você está com a maior cara de quem descobriu que o namorado tem outra!

— Eu não tenho namorado! — Olhei depressa para a Clara. Será que ela tinha contado alguma coisa para as outras meninas? E o Phil nem era o meu namorado... *ainda*.

A Clara, ao perceber meu olhar, completou depressa:

— Eu falei pra elas que é apenas estresse por causa da apresentação e das provas, mas ninguém me deu atenção. Viram só, meninas? Eu disse!

— Pelo amor de Deus, né, Rosa? Ficar pra baixo por causa de provas? É por causa daquela nota 7 que você tirou? — a Ana pegou as minhas mãos. — Sei que você está acostumada a tirar 10 o tempo todo, mas é até bom pra variar um pouquinho, e não é como se você fosse repetir de ano por causa disso! Todo mundo está comentando que você mudou. Você estava tão feliz depois daquela saída com a gente... E de repente ficou toda borocoxô! A gente não quer te ver assim!

Todas as outras concordaram com ela e eu fiquei até sensibilizada... Naquele momento resolvi que por elas, pelos meus tios e por mim mesma, não ia deixar que garoto nenhum me abatesse.

— Prometo que vou melhorar meu humor — falei, forçando um sorriso. — Aliás, ele até já melhorou, só de saber que vocês se preocupam tanto comigo!

Elas me abraçaram, afirmaram que se importavam muito, pois eu era como uma irmã pra elas, e eu saí da sala bem mais leve. Porém, quando cheguei ao meu quarto, algo começou a rodar na minha cabeça. A Vivian tinha falado que parecia que meu namorado havia arrumado outra...

De repente tudo ficou claro. Com certeza o Phil tinha conhecido outra menina durante a viagem e nem estava se lembrando mais da minha existência. Não que eu o culpasse: é claro que ele ia preferir uma namorada mais disponível, que não ficava se escondendo atrás de um telefone!

Toda a tristeza que tinha me deixado depois do abraço das minhas amigas voltou em dobro. Pensei em fingir que estava doente e ficar na cama pelo resto do dia, mas eu havia prometido que não ia ficar abatida. E era isso que eu ia fazer. Pelo menos exteriormente, por mais que meu coração estivesse despedaçado...

Caminhei até o banheiro e lavei o rosto. Em seguida fui até a sala de música e encontrei meu professor.

— Oi, Anna Rosa! — ele falou ao me ver. — Veio treinar sua música?

— Não — falei, já me sentando ao piano e abrindo vários livros de partitura. — Vim escolher outra.

Capítulo 14

— Rosa, você é a próxima. E seu vestido está lindo!

Eu estava no camarim do teatro da escola, terminando de me arrumar. Eu me virei para a Ana, que tinha vindo me avisar, e sorri.

— Obrigada! O seu também!

Ela saiu e me deixou sozinha. Olhei para o meu reflexo no espelho. O vestido realmente era muito bonito. O tio Florindo tinha comprado especialmente para a ocasião. O tecido era azul, o que, além de combinar com os meus olhos, realçava o meu cabelo. Porém, alguma coisa estava faltando no meu visual. Chequei a maquiagem, mas ela estava perfeita. E então eu percebi. Era meu olhar. Aquele brilho que tinha tomado conta dele durante um tempo havia desaparecido.

Suspirei, pensando em como era pra ter sido diferente. Se a vida fosse como eu tinha imaginado, naquele momento eu estaria ansiosa para ver o Phil na plateia. Eu observaria cada uma das pessoas tentando descobrir onde ele estava, até de repente vê-lo. Eu tinha certeza de que, quando nossos olhos se cruzassem, eu o reconheceria não só da foto, mas também dos meus sonhos. E então eu cantaria para ele aquela música que eu já considerava nossa. E ao final ele aplaudiria e...

— Rosa, sua vez, vem, depressa!

Olhei para o meu professor e novamente para o espelho. Infelizmente a vida real não era como na minha imaginação... Passei por ele, que me desejou boa sorte, subi ao palco e fui direto para o piano, sem enxergar ninguém. A plateia encontrava-se às sombras e apenas o local da apresentação estava iluminado por um holofote.

Senti que eu estava tremendo, por isso respirei fundo. Ajeitei o microfone, posicionei minhas mãos no piano, mas, quando elas encostaram nas teclas, percebi que aquilo não estava certo... Não era o que eu realmente queria fazer! O Phil podia não estar ali, mas ainda assim era para ele que eu queria cantar.

Então eu resolvi. Em vez de tocar *On My Own*, que era a música esperada, voltei para a minha escolha original: *Rainbow*. Eu sabia que meu professor ia me dar a maior bronca! A iluminação do meu número tinha sido planejada inicialmente para ter as cores do arco-íris... Quando troquei a música, meu professor resolveu mudar a luz para azul — segundo ele, uma canção tão introspectiva merecia apenas uma cor, para combinar melhor.

Mas agora, ainda que fosse com sete nuances de azul, eu traria o meu arco-íris de volta.

Enquanto tocava e cantava, esqueci que estava ali, que tinha tanta gente me olhando. Voltei no tempo, para o dia em que trocamos as primeiras mensagens... Elas haviam mudado a minha vida. Agora eu sabia o que era se apaixonar e também sofrer uma desilusão. Mas, por mais triste que parecesse, era como se o mundo tivesse crescido. Como se agora eu soubesse o tamanho que ele poderia ter.

O Phil realmente não tinha dado mais sinal de vida. A última mensagem havia sido aquela, avisando que ele tinha chegado a algum lugar que eu nem imaginava qual. Eu supunha que fosse longe, porque ele tinha levado meu coração na bagagem e, por mais que eu tentasse puxar, estava demorando pra conseguir trazê-lo de volta para o peito.

Toquei a última nota e a plateia explodiu em aplausos. Eu me levantei, agradeci e voltei para o camarim. Dali eu sairia pela coxia e me juntaria à plateia para assistir ao restante das apresentações das minhas colegas.

Quando peguei minha bolsa, notei um brilho dentro dela que eu sabia que só poderia estar vindo de um lugar: meu celular. Puxei o aparelho com os dedos trêmulos e até me apoiei à parede quando vi que era uma mensagem. Do *Phil*.

> Estou aqui. Me encontre agora atrás do teatro.

Ler aquilo me deixou tão surpresa e feliz que eu nem pensei em mais nada além do fato de que ele estava ali. Então ele não havia se apaixonado por outra pessoa e me esquecido... Ele tinha ido me ver! E acabado de assistir à minha apresentação!

Saí depressa e, em vez de seguir pelo corredor em direção à plateia, passei pela porta dos fundos e fui para a parte de trás do teatro, como ele tinha pedido.

O jardim da escola, que normalmente era bem movimentado, estava deserto. Todo mundo estava lá dentro, assistindo aos números musicais. O vento frio me fez arrepiar. O meu vestido era muito fino para aquela noite de junho, e eu tinha deixado o casaco no camarim. Senti um calafrio percorrer todo o meu corpo enquanto esperava que ele aparecesse. Foi quando ouvi um miado.

Olhei para os lados, tentando descobrir de onde vinha, parecia ser um filhote... E então eu vi onde o bichinho devia estar: em uma caixa de papelão debaixo de uma árvore. Será que alguém tinha prendido um gato ali dentro, para que ele morresse sem ar?

Indignada com a maldade da pessoa, aproximei-me depressa e notei que a caixa estava completamente vedada. Então era aquilo mesmo! Havia apenas um pequeno buraco, tampado por um esparadrapo, que nem cabia a minha mão. O gatinho miou de novo, e eu não tive dúvidas. Arranquei o adesivo com a unha e, para tentar rasgar o papelão, enfiei o dedo pela pequena fresta. Foi então que eu o espetei em algo.

Imediatamente uma dor irradiou por toda a minha mão. Senti mais espetadas enquanto tentava puxar o dedo de volta e, quando finalmente consegui, da caixa saíram várias abelhas! Dezenas! Ou talvez *centenas*, impossível contar... Só sei que, quando aquele enxame veio para cima de mim, eu coloquei a mão na frente do rosto para protegê-lo e por isso não vi uma parte da raiz da árvore logo atrás dos meus pés. Tropecei e caí, e ao mesmo tempo em que sentia todas aquelas abelhas me ferroando e tentava afastá-las, ouvi alguém chamando meu nome.

Eu ainda tive tempo de perceber que a voz era de um garoto, que vinha correndo. Um garoto bonito. Parecia que eu o conhecia de algum lugar, mas não me lembrava de onde. Estava meio zonza, começando a confundir realidade com alucinação.

De repente notei que uma mulher toda de preto saiu detrás da árvore, segurando um gato pelo pescoço. Então o miado não vinha de dentro da caixa, afinal.

Foi aí que o veneno das abelhas fez efeito, e eu não vi mais nada.

Até muitos dias depois...

Segunda Parte

· *Capítulo 15* ·

Abri os olhos assustada, sem saber direito onde estava. Nos últimos dias, sonho e realidade pareciam estar se misturando na minha mente, e era difícil saber o que era ou não verdade. Aos poucos, fui reconhecendo os móveis do meu quarto e os sons que vinham lá de fora. A voz dos meus tios. E de alguém mais... *Minha mãe.*

Levantei depressa. Eu precisava vê-la de novo, para ter certeza de que não era apenas imaginação. Ao me aproximar, percebi que eles estavam conversando sobre algo que estava sendo transmitido na TV. O documentário! Agora eu me lembrava! Eu estava cansada de ouvir aquela história, e fui para o meu quarto, onde acabei adormecendo sem querer.

Meu olhar foi atraído para o programa. Devia estar quase no final, pois estavam mostrando o jardim da escola e a árvore sob a qual estava a caixa. O local onde eu havia sido atacada por um enxame de abelhas. Só de lembrar, senti de novo toda aquela dor. Era como se mil agulhas viessem de todos os lados, a cada ferroada minha pele começava a pulsar e a sensação era que meu corpo e rosto estavam inchando tanto que a qualquer momento poderiam explodir. Até que eu apaguei e não senti mais nada...

Passei a mão pelo rosto inconscientemente. Ainda havia algumas marcas de picadas, mas o médico dissera que aos poucos iriam sumir.

Em silêncio, voltei os olhos novamente para a televisão, para que minha família não viesse correndo perguntar se eu estava bem.

A repórter começou a explicar para os telespectadores o efeito que o veneno teve em mim. Eu não queria ouvir aquilo de novo, mas não consegui desviar o olhar da tela ao perceber que, enquanto ela falava, um filminho era exibido.

"Áurea Bellora é altamente alérgica, o que causou uma reação acentuada às picadas. Qualquer pessoa que fosse atacada por uma abelha africana já apresentaria algum grau de reação, como lesões, mal-estar e febre. Mas, no caso dela, a alergia aliada à picada de um enxame inteiro causou um choque anafilático, que a fez entrar em coma. Caso ela não tivesse recebido socorro imediato, certamente não teria resistido."

O tal vídeo que ilustrava as palavras dela era desesperador. Como aquela repórter tinha conseguido aquilo? Provavelmente as imagens haviam sido filmadas por alguma aluna ou por um dos convidados da apresentação. Ouvi dizer que assim que descobriram que eu estava inconsciente nos fundos do teatro, a plateia, movida por curiosidade, foi inteira até o local.

A TV mostrou meus tios inconsoláveis enquanto os médicos me colocavam na ambulância. Avistei também a Clara e minhas outras amigas chorando, sem poderem chegar perto de mim. A região havia sido interditada pelo Corpo de Bombeiros para que ninguém se aproximasse de onde ainda estava a caixa, que — agora eu sabia — continha uma colmeia de abelhas.

"Áurea Bellora havia sido declarada morta aos cinco anos de idade, porém, a criminosa Marie Malleville desconfiou de que aquela fosse apenas uma tentativa de despistá-la, e por mais de 11 anos tentou achar a menina. Para finalmente encontrá-la, contou com a ajuda de um cúmplice: um garoto que concordou em seduzir Áurea para descobrir informações que pudessem revelar seu paradeiro. Apaixonada, Anna Rosa — como Áurea passou a ser chamada desde que veio para o Brasil — contou detalhes cruciais por meio de mensagens de celular, como o endereço da escola e a data de uma apresentação musical da qual participaria, assim como o amor por animais e o fato de ser alérgica a picadas de inseto, levando Malleville direto para ela e possibilitando a criação de um plano perfeito para atraí-la e assassiná-la."

Segurei as lágrimas que ameaçavam a cair, pois sabia que, se fizesse o menor barulho, meus tios e minha mãe olhariam pra trás e me veriam.

"A identidade do cúmplice ainda é desconhecida. Até agora, apenas uma coisa é certa: sua única missão era conquistar essa princesa da vida real. Infelizmente, tudo não passava de uma farsa, mas Áurea logo superará a decepção. Ela tem a vida inteira pela frente, com os pais, e sem precisar mais se preocupar com a ameaça que a assombrava. Marie Malleville, ao tentar escapar no momento do ataque das abelhas, foi atropelada por um carro que passava em alta velocidade pelo local. Ela sofreu traumatismo craniano e não resistiu. Seu corpo foi enviado para a França."

Aquela informação me levou de volta ao momento em que eu havia acordado no hospital.

Eu não tenho a menor ideia do que os bebês sentem ao nascer, mas imagino que seja mais ou menos como o que eu passei ao despertar: um susto misturado com confusão, e ao mesmo tempo um desconforto por causa de todas aquelas luzes fortes. Ah, isso sem contar com o desespero por não ter a menor ideia de onde estava e de não saber quem eram aquelas pessoas à minha volta. Mas o mais importante: a decepção ao perceber que o meu sonho não era real.

Dizem que, quando as pessoas entram em coma, elas veem um túnel cheio de luz. Eu nao me lembro de túnel algum. Parecia apenas que eu havia tido um sono muito revitalizador, como quando a gente acorda depois de sonhar com algo que deseja muito que aconteça. Nele, eu andava de mãos dadas com um menino lindo em um jardim cheio de flores coloridas. Eu estava tão feliz e apaixonada, que poderia passar o resto da vida com ele, naquele lugar...

Só que de repente comecei a escutar as vozes. Eu queria pedir silêncio, pois estavam atrapalhando o meu encontro, mas as pessoas pareciam falar cada vez mais alto. Comecei a ficar irritada com aquilo e soltei a mão do garoto, apenas para me virar e descobrir de onde vinha aquele barulho todo. Foi quando eu o perdi... No segundo em que nossos dedos se desentrelaçaram, o jardim desapareceu. Abri os olhos e tudo o que vi foi uma parede branca, vários aparelhos em cima de mim e médicos em volta.

Tentei levantar, pois precisava encontrar novamente o meu amor, mas várias pessoas me seguraram, me fazendo ficar imóvel. Uma mulher que eu nunca tinha visto começou a chorar, e de repente a escutei dizer:

— Minha filha!

Aquilo me apavorou. Onde eu estava? Eu tinha morrido? Porque, até onde eu sabia, a minha mãe estava morta e enterrada havia mais de 10 anos!

Tentei falar, mas minha voz não saiu; era como se eu estivesse presa em um pesadelo, daqueles que a gente precisa dizer alguma coisa, mas não consegue. Comecei a chorar de desespero, e então a tal mulher foi afastada. Percebi que foi preciso muito esforço para conseguirem isso. Ela queria me tocar de qualquer jeito.

— Áurea, por favor, tenha calma — uma enfermeira falou com uma voz bem suave, tentando me tranquilizar. Porém, tudo que ela conseguiu foi colocar um baita ponto de interrogação na minha cabeça. *Áurea?* Quem era essa? Comecei a ficar mais assustada. Tentei fechar os olhos e voltar para o sonho, mas a mesma enfermeira disse, um pouco mais firme: — Áurea, está tudo bem agora, tente manter os olhos abertos. Precisamos de você aqui.

Obedeci, apenas para tentar entender o que estava acontecendo. Eu estava em um lugar desconhecido, não tinha a menor ideia de como havia parado ali, estavam me chamando por um nome que não era o meu e, para completar, uma mulher tinha me chamado de filha.

— Áurea. — Um médico apareceu ao meu lado. — Sabemos que você está confusa e vamos te explicar tudo, mas você tem que ficar acordada. Será que consegue fazer isso?

Acordada? Para mim aquilo é que parecia irreal! Eu queria voltar para a realidade, para o jardim florido onde eu estava até poucos minutos antes, com o Phil.

De repente eu me lembrei. O garoto era o Phil! Eu tinha certeza disso! Era com ele que eu estava! E ele era ainda mais lindo ao vivo do que na foto que havia me mandado. Mas como a gente tinha ido parar naquele jardim? Minha cabeça parecia estar tendo um lapso de memória. A última coisa de que eu me lembrava era a apresentação da escola, e então ele me mandou uma mensagem dizendo que estava lá...

De repente tudo voltou. O gato. As abelhas. Alguém gritando meu nome. E então escuridão. Que era onde eu parecia ainda estar agora. Eu estava morta? Aquilo era o pós-vida?

— Rosa, meu bem! — Ouvi uma voz conhecida e o meu nome verdadeiro, o que acendeu uma pequena luz em meio àquele blecaute. Tentei levantar mais uma vez, mas o médico novamente me impediu. No momento seguinte vi o rosto do Tio Petrônio surgir na minha frente. Comecei a chorar aliviada!

— Rosinha! — ele disse, me abraçando com cuidado. — Nós estávamos tão preocupados! — Ele se afastou um pouco e pude ver que também estava chorando. — Fique calma, vai ficar tudo bem agora. Eu estou aqui, e seus outros tios estão lá fora também!

Tentei falar, mas minha voz continuava se recusando a colaborar. Tudo que saiu foi um grunhido. O médico, que continuava bem ali, disse:

— Você ficou muitos dias desacordada, vai demorar um tempo para o seu corpo voltar ao normal. E isso inclui as cordas vocais.

Vendo que eu estava completamente confusa, meu tio explicou:

— Você foi atacada por abelhas, sofreu um choque anafilático, e entrou em coma. Já fazia 10 dias que você estava assim...

Dez dias! Para mim não se passara nem uma hora! Parecia que havia poucos minutos desde que eu tinha ido para os fundos da escola por causa da mensagem que o Phil me mandara. Eu queria vê-lo! Onde ele estava agora? Com certeza não no jardim dos meus sonhos...

Percebendo que eu continuava sem entender direito, meu tio voltou a falar:

— Tem muitas coisas que você não sabe, mas antes de esclarecermos tudo você precisa se recuperar melhor.

Fiz que não com a cabeça e franzi a testa. Eu queria saber tudo imediatamente!

Meu tio pareceu meio incerto, mas o médico pediu que ele fosse em frente, dizendo:

— Qualquer informação que possa situá-la é importante para estabelecer um elo com a realidade. A memória pode ter sofrido avarias, e é necessário explicar os fatos, para que a mente dela se encontre novamente. Este é o melhor momento, pois, com o despertar, o cérebro está a todo vapor e sedento para encontrar algum sentido nos acontecimentos.

O tio Petrônio ficou meio resistente, mas pelo visto não queria contrariar as ordens médicas. Fiquei satisfeita com aquilo, porém, quando ele começou a falar, percebi que eu preferia não ter escutado suas palavras...

— Querida, lembra aquela historinha que nós te contamos quando você era pequena e depois deixamos que você pensasse que tinha sido apenas invenção?

Historinha? A qual delas ele estava se referindo? A da Branca de Neve ou a da Cinderela? Ou seria a da Pequena Sereia? Eram tantas! Meus tios adoravam ler para mim quando eu era criança.

— Bem... o fato é que ela não era tão inventada assim. Durante anos te criamos como outra pessoa, para sua proteção.

Espera. Aquilo não parecia ser parte de um dos meus contos de fadas preferidos...

— Seu verdadeiro nome é Áurea Roseanna Bellora. Você é descendente da família real de Liechtenstein. E o mais importante: seus pais e avós não morreram em um acidente. Eles estão vivos. Aqui no hospital.

Fechei os olhos com força. Eu tinha certeza de que aquilo tudo era uma alucinação. Eu precisava dormir de novo, para acordar na minha própria vida!

Mas então veio o choque de realidade:

— E o rapaz por quem você estava secretamente apaixonada não era bem quem você pensava. Ele era um impostor, e só te usou para conseguir informações para Marie Malleville, a mulher que tentou sequestrar você no seu batizado. Desculpa por ter que contar isso, meu bem. Mas o fato é que aquele garoto poderia ter te matado.

· *Capítulo 16* ·

Nada como um balde de água fria na cara para me fazer acordar mais depressa. Apesar da vontade de sumir, tive que levantar da cama — ou melhor, da maca do hospital — e encarar o mundo.

As pessoas pensam que é uma espécie de prêmio descobrir de repente que seus pais estão vivos depois de considerá-los mortos por vários anos. Mas não é bem assim... Eu quase não me lembrava dos meus, portanto não era como se tivesse saudade ou algo do tipo. Os meus tios foram muito eficientes em me fazer esquecer minha antiga vida. Era como se eu tivesse nascido aos cinco anos de idade, quando vim para o Brasil. Claro que eu sentia falta de ter um pai e uma mãe como as minhas amigas, mas era mais do "conceito", não de pessoas específicas. Passei anos desejando ter um pai a quem eu pudesse chamar de herói e uma mãe para me aconselhar e que ao mesmo tempo fosse minha amiga... Na falta deles, foram os meus tios quem considerei como pais pela maior parte da vida. Acordar e dar de cara com meus pais verdadeiros, como fantasmas que de repente resolveram voltar das trevas, realmente me assustou.

A princípio eu não quis vê-los. Na verdade, não quis ver ninguém a não ser a Clara ou pessoas que não tinham relação alguma com a confusão da minha família. Eu estava muito decepcionada com os meus tios para aceitar aquela explicação de que "tinham ocultado a verdade para me proteger". E os meus pais e avós... Bem, como eu disse, eles eram estranhos para mim.

Por isso, sempre que alguém entrava no meu quarto do hospital, onde fiquei em observação por mais alguns dias depois de sair do coma, eu fingia estar dormindo. Claro que isso não dava certo o tempo todo: eu precisava comer, ir ao banheiro, exercitar os músculos... Mas nesses momentos eu fazia questão de aparentar estar muito concentrada nessas tarefas, minando qualquer tentativa de aproximação.

Meus pais pareciam arrasados a cada vez que me abraçavam e eu não correspondia. Acho que, na cabeça dos dois, assim que a verdade fosse revelada, eu iria me agarrar a eles e pedir que não nos separássemos nunca mais... Sei que era isso que todos esperavam de mim, e inclusive senti uma certa dor na consciência por não fazê-lo. Mas se aquela história toda serviu para alguma coisa, foi para me fazer entender que a mentira não compensa! Se eles não tivessem inventado aquela história mirabolante, eu teria vivido plenamente ao lado deles, ainda que com medo da Malleville... Mas pelo menos não teria passado boa parte da infância e adolescência me sentindo injustiçada por ter perdido meus pais tão cedo e pelo fato de os meus tios me tratarem praticamente como uma prisioneira domiciliar! Era por isso que eu não queria simular um elo que eu estava longe de sentir.

Nos períodos em que pensavam que eu estava dormindo, ouvia os médicos explicarem para a minha família que a minha reação era normal e esperada, que aos poucos eu entenderia a situação e aceitaria minha nova realidade, mas eu realmente não via isso acontecendo tão cedo.

Até que um dia acordei com alguém chorando. Abri os olhos apenas o suficiente para ver de onde vinha, mas fechei novamente assim que percebi que era a minha mãe, que estava sozinha, sentada em uma cadeira perto da janela. Deu para perceber que o choro era causado pelo que ela lia em um maço de papéis nas suas mãos.

Fiquei um tempo imóvel, mas de repente meu coração começou a apertar. Eu podia não me considerar filha dela, mas se visse qualquer pessoa em prantos, certamente tentaria consolá-la.

Por isso, abri os olhos novamente, mas desta vez me recostei nos travesseiros e disse baixinho:

— Ei... Não chora. — Minha voz ainda estava meio fraca.

Ela levantou depressa, enxugou o rosto com as costas da mão e forçou um sorriso.

— Desculpa, filha. Eu te acordei?

Respirei fundo. Sim, ela havia me acordado, mas não era por esse motivo que eu tinha pedido que ela parasse de chorar...

Preferi não responder. Em vez disso, perguntei:

— Por que você estava chorando?

Ela pareceu indecisa entre revelar o motivo ou não, e senti que estava prestes a cair no choro novamente. Para tentar fazer graça, continuei:

— Meus tios sempre falaram que eu sou muito chorona... Agora entendo de quem puxei isso! — Mas logo vi que não era a coisa certa a se dizer, pois foi aí que ela chorou mesmo!

— Desculpa, Áurea — ela falou depois de um tempo. *Áurea*... Eu ainda não tinha me acostumado com aquele novo (velho) nome. — É que eu gostaria que as coisas tivessem sido diferentes. Hoje percebo que eu devia ter lutado, que eu não podia ter me afastado de você nem por um minuto... Mas eu era muito nova, e estava com tanto medo! Você viu do que a Marie Malleville foi capaz! Ela guardou o rancor por 16 anos! Imagina o que ela poderia ter feito com você ainda criança. Não gosto nem de pensar!

Eu também não queria nem imaginar.

— Mas tudo que fiz, foi pensando em você — ela continuou, ainda chorando. — Acredite, não houve um minuto desses anos em que você não estivesse nos meus pensamentos!

Comecei a me sentir mal. Não fisicamente. Eu já estava ótima, por mim os médicos poderiam me dar alta. Mas a dor na consciência ficou difícil suportar. Desde o momento em que acordei, tudo que eu havia feito tinha sido culpar os membros da minha família por terem decidido mudar a minha vida quando eu ainda não tinha capacidade de impedir. Mas eu estava começando a acreditar que a intenção de todos tinha sido mesmo me proteger. Que tudo que eles haviam feito tinha sido por amor.

— Olha — ela disse, balançando os papéis, que ainda estava segurando. Devia ter umas 500 folhas na mão dela! — Eu escrevi cada uma destas cartas no decorrer dos anos. Minha intenção, inicialmente, era enviá-las à medida que eu fosse escrevendo, mas logo percebi que elas poderiam revelar seu esconderijo. Por isso, guardei todas para que você pudesse ler, caso quisesse, quando a gente tornasse a se encontrar...

Sem conseguir segurar a curiosidade, peguei a folha que estava por cima.

Minha querida filhinha,

Faz seis meses que você saiu dos meus braços, e eu nem sei como estou sobrevivendo durante todo esse tempo. Acho que o que me mantém respirando é saber que tudo isso é para o seu bem, para que você tenha a chance de ter uma vida plena e um futuro muito feliz. Mas me dilacera o coração pensar que para você eu e seu pai não existimos mais. No entanto, continuamos bem aqui, pensando em você a cada minuto e desejando que o tempo passe depressa. Seus tios às vezes nos mandam algumas fotos e cartas, para que possamos saber como você está. Eu as recebo através de uma caixa postal, pois não quero arriscar que nenhuma correspondência chegue ao nosso endereço e possa revelar o seu paradeiro. Várias vezes tenho ímpetos de ir te buscar, mas sei que isso seria egoísmo da minha parte. Não tenho a menor dúvida de que aquela bruxa continua por perto, atenta a cada passo meu e do seu pai, buscando cada detalhe que lhe dê uma pista de onde você está. Por isso, prefiro que continuemos distantes até que você complete 18 anos ou até que por algum milagre (pois já não tenho mais esperanças de que seja de outra forma) a Marie Malleville seja encontrada e encarcerada em um presídio de segurança máxima!

Quando nos reencontrarmos, vou te mostrar esta carta e riremos juntas do tempo que tivemos que passar separadas.

Com todo o amor do mundo,
Mamãe

Senti um nó na garganta e vi que meus olhos estavam começando a lacrimejar. Percebi que ela estava me observando e rapidamente peguei outra folha, dessa vez do meio do bolo.

Linda filhinha,

Hoje é o seu primeiro dia de aula e estou sofrendo por não poder te arrumar, te ver de uniforme e depois perguntar o que você achou do colégio e se fez amigos... Será que vai ser como eu e gostar de matemática ou puxará o seu pai e terá facilidade com história e geografia? Aposto que vai ser a melhor aluna da sala e encantar a todos com a sua beleza e inteligência!

Estou com muita saudade, cada dia mais.

Um grande beijo, te amo muito!

Mamãe

Eu estava tão insegura no meu primeiro dia de aula! Teria sido maravilhoso ter uma mãe ao meu lado naquele momento. Não uma mãe qualquer... *Ela*.

Puxei depressa a última folha, a que estava sob todas as outras. Pelo que eu estava percebendo, elas estavam em ordem cronológica, e eu queria ver a carta mais recente.

Logo vi que eu estava certa. Aquela era de pouco tempo atrás.

Querida filha,

Hoje é o seu aniversário de 16 anos. Só Deus sabe o quanto eu gostaria de estar aí, ou que você estivesse aqui. Você é o melhor presente da minha vida, e dia após dia sinto a sua falta. Dói não poder te mandar uma lembrança pelo correio, pois não arrisco escrever seu endereço em um papel. E dói muito mais ter que te ver crescer tão longe de mim. Seus tios continuam me mandando retratos, e gosto de ver como você fica mais linda a cada dia. Seus cabelos estão mais dourados, e me lembram dos raios de sol. E seus olhos têm aquele azul do mar quando se encontra com o céu no horizonte. Você ainda despertará muitas paixões, querida... inclusive, tem um garoto que eu e seu pai adoraríamos que você conhecesse! Mas temos que aguardar um pouco mais para isso. Faltam apenas dois anos para que a ameaça que recebemos chegue ao fim, apenas mais dois anos até você atingir a maioridade e ser livre. E então você poderá voltar para cá ou, se preferir, continuar aí... Você poderá fazer o que quiser. Se apaixonar, viajar, conquistar o mundo!

Espero que, mesmo tão crescida, você continue obedecendo a seus tios. Eles só querem seu bem, assim como eu e seu pai.

Ainda falta um pouco, mas já estamos pensando na sua festa de 18 anos! Prometo que compensaremos por todas as vezes em que não pudemos celebrar seus aniversários!

Não vejo a hora de te abraçar!

Um grande beijo, com todo amor do mundo!

Sua mãe

Sem controle, as lágrimas começaram a rolar pelo meu rosto. Bem na minha frente estava tudo pelo que eu tinha ansiado por tanto tempo... Uma mãe. Uma amiga.

— Mãe... — falei baixinho, por entre as lágrimas.

Ela não disse nada. Apenas me abraçou e pude sentir todo o seu amor me envolvendo.

Ficamos abraçadas por muito tempo sem dizer nada, suprindo anos de ausência, e apenas deixando as lágrimas lavarem toda a mágoa. Foi então que a porta se abriu e o meu pai apareceu.

Eu o observei por alguns segundos. Ele era tão loiro... Eu podia ver perfeitamente de quem eu tinha herdado o tom dos meus cabelos.

Sem dizer uma palavra, ele se aproximou e nos envolveu em um abraço.

Então eu fiquei entre eles, me sentindo feliz pela primeira vez em muito tempo.

• *Capítulo 17* •

Quando finalmente chegou o momento de deixar o hospital, eu já estava bem melhor. Toda a desorientação sentida nos dias pós-coma havia passado, assim como a revolta com a minha família. Eu tinha perdoado meus tios, pais e avós por terem ocultado a verdade de mim. Apesar de ainda não concordar, consegui entender que todos queriam apenas o meu bem.

Só havia uma pessoa que eu não conseguia compreender ou desculpar: o Phil.

No segundo dia depois do coma, recebi uma visita do meu professor de música. Foi ele que me contou tudo que aconteceu após o meu desmaio no jardim da escola. E eu não gostei nada do que ouvi...

— Logo que acabou a sua apresentação, ao ver que você estava demorando a aparecer, fui até o camarim para te lembrar de que todos os alunos deveriam ir para a plateia depois das suas apresentações, a fim de prestigiar os próximos colegas — ele começou a explicar. — Chegando lá, não te encontrei, mas percebi que você tinha esquecido a sua bolsa, totalmente aberta. Fiquei preocupado e fiz questão de ao menos fechá-la, para não deixar sua carteira tão à vista. Foi quando notei que seu celular estava ao lado dela...

Sim, ele leu a mensagem, e eu não o julgo. Ela estava ali, exposta, pedindo para ser lida. Não é como se ele tivesse aberto minha bolsa para xeretar. Na pressa, eu tinha mesmo deixado tudo escancarado. E, por mais que eu saiba que a intenção dele ao me seguir até os fundos do teatro era apenas me flagrar com um namorado e me dar a maior bronca, sou imensamente grata ao meu professor, pois assim ele pôde ver o que se passou. É por isso que agora eu sei tudo o que aconteceu depois do ataque das abelhas.

— Quando cheguei ao jardim, a primeira coisa que notei foi que você estava deitada com um rapaz te beijando... — ele voltou a falar, parecendo horrorizado com a lembrança. — Eu me aproximei depressa, disposto a repreender a atitude de vocês, afinal, é preciso manter o respeito em ambiente escolar! Porém, antes que eu falasse alguma coisa, o jovem, ainda te abraçando, começou a discutir com uma senhora em pé, bem ali do lado, carregando um gato preto.

O gatinho... O que teria acontecido com ele?

Não tive muito tempo para pensar nisso, pois meu professor continuou a contar aquela história que mais parecia parte de um livro e não da minha própria vida.

— Foi quando notei que você não estava simplesmente deitada, mas sim *desacordada*! Percebi que o menino devia estar abusando de você, e então eu me ajoelhei para te socorrer, apesar de várias abelhas estarem sobrevoando o local. Eu o empurrei e exigi dele alguma explicação! Mas foi a tal mulher que começou a falar. Ela explicou que havia te sequestrado na infância e que para finalmente te encontrar e concluir o que tinha começado anos atrás, tinha contado com um cúmplice... Foi então que ela tirou um celular do bolso, começou a rodopiá-lo entre os dedos, e disse que, com aquele aparelhinho, o rapaz ao seu lado havia te conquistado através de mensagens e que foi assim que ela pôde finalmente descobrir onde você estava escondida desde criança, pois ao ver sua foto percebeu no mesmo instante que você era a cara do seu pai.

Eu já sabia que isso havia acontecido, mas ouvir a história com tantos detalhes fez com que meu coração ficasse tão apertado a ponto de eu sentir dificuldade de respirar! O Phil tinha sido tão convincente... Ele realmente me havia feito acreditar que gostasse de mim. E assim me fez gostar dele também. Não aconteceu de uma hora para outra: ele foi me conquistando dia após dia, à medida que mostrou que também estava sendo conquistado. Será que tudo que me contou era mentira? Todas as coisas que eu gostava nele não eram reais? O jeito dele que tanto me encantava, será que também era ensaiado?

O meu primeiro amor era alguém que não existia...

— Confesso que pensei que aquela mulher estivesse louca ou drogada e não dei muita atenção — meu professor continuou a relembrar. — Eu não conhecia o seu passado, pensei que ela estivesse alucinando ao falar essas coisas de sequestro, cúmplice... Mas no momento em que falou que agora que estava tudo resolvido ela poderia finalmente ter uma vida plena, ela se virou para o menino, que ainda estava ajoelhado ao seu lado, e disse: "E você também. Não preciso mais dos seus *serviços*. Pare de abusar dessa menina. A informação que você me forneceu, de que ela era alérgica a picada de insetos, foi perfeita! Ela está *morta*. Não precisa mais fingir que está apaixonado".

Meu professor, que sempre foi muito teatral, contava o caso como se estivesse acontecendo naquele instante. Por isso mesmo, eu até conseguia visualizar a cena. O jardim da escola iluminado por alguns postes de luz, eu caída embaixo da árvore, abelhas rodeando o local... E o Phil ao meu lado. Apesar de entender que tudo não havia passado de uma armadilha, me senti injustiçada por estar adormecida naquele momento. O único em que ele havia ficado perto de mim...

— Quando a mulher falou aquilo, o garoto se levantou e começou a discutir com ela em outra língua, acho que francês. Hoje entendo que o motivo por ele ter ficado tão alterado foi o fato de ter sido desmascarado. Ela então largou o gato e voou no pescoço do menino! Como se quisesse enforcá-lo! Eu comecei a gritar por socorro e, quando algumas pessoas apareceram, ela saiu correndo, com o rapaz atrás. Foi aí que aconteceu a tragédia... A mulher simplesmente atravessou a rua sem olhar pra lado nenhum. A impressão que deu é que ela havia se jogado de propósito na frente de um carro. Quase que o menino foi atropelado também, mas ele parou a tempo. Ficou lá, na calçada, olhando para ela, caída no meio da rua, e pra você, deitada no jardim da escola. Como se estivesse indeciso sobre o que fazer. Mas então vários curiosos começaram a aparecer, além da polícia... Foi quando ele resolveu fugir.

Meu professor ficou calado durante alguns segundos e então deu um suspiro. Em seguida, disse, como se estivesse se desculpando: — Eu devia ter prestado atenção para onde ele correu, deveria tê-lo seguido. Mas eu estava muito preocupado com você, não queria te largar desamparada daquele jeito! Você estava pálida! Eu realmente achei que você...

Que eu fosse morrer. Sim, todo mundo achou. Nem os médicos conseguiam entender como eu tinha sobrevivido. Pelo grau da minha alergia e a quantidade de veneno de abelhas no meu sangue, eu deveria ter morrido sufocada no mesmo instante. Mas, por algum motivo, eu resisti.

Abracei meu professor e agradeci por ele ter ficado comigo. Eu não queria mais saber do Phil. Não importava aonde ele tinha ido. Já haviam se passado 15 dias, mas a polícia ainda estava tentando achá-lo através do celular encontrado no bolso da Marie Malleville, que continha toda a nossa troca de mensagens. Mas eu duvidava que alguém iria conseguir. Afinal, tudo que sabíamos era seu apelido. *Phil*.

E que ele era um destruidor de corações.

Capítulo 18

A minha história logo ganhou repercussão na imprensa, tanto brasileira quanto internacional. Não teve um só jornal que não noticiou o "conto de fadas do século XXI", e todo mundo queria conhecer a protagonista.

Assim, no momento em que saí do hospital, me senti uma daquelas celebridades que têm cada passo vigiado. Foram tantos flashes e tentativas de entrevista que, quando meus pais conseguiram entrar comigo no táxi, eu estava tremendo. Eu não sabia que fotógrafos e repórteres podiam ser tão assustadores...

Eles me faziam perguntas, como: "Ei, Áurea, você está feliz que a *bruxa* que te sequestrou está morta?", ou: "Você vai continuar morando no Brasil ou vai voltar para Liechtenstein?", ou ainda: "Por ter sangue nobre, você acha que tem chance com o príncipe Harry, o solteiro real mais cobiçado do mundo?"

Eu não sabia responder a nenhuma daquelas perguntas. Quer dizer, eu tinha certeza de que não tinha a menor chance com o príncipe Harry! Mas, tirando essa, eu não sabia se estava satisfeita por a Marie Malleville ter sofrido aquele acidente... Claro que, agora que eu sabia a história verdadeira, era bom poder viver em liberdade e com os meus pais... mas ficar feliz pela morte de alguém não me pareceu muito correto. E se eu iria me mudar, bem, naquele momento tudo que eu queria era chegar logo na casa dos meus tios para poder me isolar no meu quarto, o único lugar que permanecia inalterado apesar de tantas informações novas que eu havia tomado conhecimento nos últimos dias.

Porém, logo percebi que ficar sozinha era o que eu menos conseguiria fazer, independentemente do lugar.

A começar pelos meus pais, que pareciam estar dispostos a recuperar o tempo perdido o quanto antes. Eles queriam saber tudo a meu respeito e também queriam que eu conhecesse cada detalhe sobre eles.

Os meus avós também queriam ficar por perto o máximo possível. De hora em hora eles vinham com doces e brinquedos, como se ainda fosse aquela mesma netinha de 5 anos de idade que eu era da última vez que tinham me visto.

E não posso me esquecer dos meus tios, que continuavam tão zelosos como sempre, mas elevado à décima potência: "Você está bem?", "Quer comer alguma coisa?", "Quer que a gente ligue para a mãe da Clara e peça pra ela dormir aqui?", "Quer ver televisão?". A única coisa que eles não perguntaram — e a única que com certeza eu responderia afirmativamente — era se eu queria ficar sozinha.

E, por último, começaram as ligações.

De alguma forma, meu telefone foi descoberto, e a impressão que eu tive é de que todos os jornais, revistas, sites e canais de TV do mundo estavam atrás de mim, querendo uma entrevista. Meus tios chegaram ao ponto de ligar para a companhia telefônica pedindo para trocar o número. Mas então a imprensa veio pessoalmente... Vários repórteres começaram a montar guarda em nossa porta e aquilo começou a atrapalhar não só a rotina dos meus tios, mas também a dos vizinhos.

Por isso, depois de dois dias sem a menor liberdade, eu tomei uma decisão. Reuni minha família na sala e falei:

— Vou lá fora falar com eles.

Eles me olharam como se eu tivesse dito que queria pular de um avião com paraquedas. Ou melhor, que eu queria pular de um avião *sem* paraquedas. De certa forma, devia ser isso mesmo que parecia. A imprensa com certeza iria acabar comigo com todas aquelas perguntas.

Então expliquei:

— A única forma de os jornalistas nos deixarem em paz é parando de me esconder... Enquanto não saciarem a curiosidade, não vão nos dar sossego! Por isso, é melhor eu falar com eles de uma vez, pra podermos voltar a viver normalmente...

Eu tinha lá minhas dúvidas sobre a última parte. Eu sabia que "normal" era algo que minha vida nunca iria ser.

Meus tios e minha mãe discordaram totalmente. Eles achavam que eu não deveria me expor. Mas meu pai tinha outra opinião...

— A Áurea está certa — ele falou, fazendo todas as cabeças se voltarem em sua direção. — Assim que conseguirem falar com ela, o desafio vai passar e então eles vão correr atrás de outra novidade. Os paparazzi funcionam assim... Eles gostam de coisas difíceis. Reparem: as personalidades que mais se escondem são as que eles mais vigiam. Já aquelas que só faltam pular na frente das câmeras nem recebem importância.

Comecei a retrucar que eu não era uma celebridade, mas lembrei que ele devia saber do que estava falando. Afinal, era primo de um príncipe de verdade! E, pelo que eu tinha entendido, eu também.

Percebi que os outros também estavam considerando as palavras do meu pai. O tio Florindo então disse:

— Mas eu é que vou maquiar, arrumar o cabelo e escolher a roupa que ela vai usar quando for aparecer na frente das câmeras! O mundo tem que ver o quanto ela é linda! Aquela imagem dela caída, toda inchada pelas picadas das abelhas, não fez jus à beleza dela.

— Eu continuo achando que essa ideia não é nada boa! — O tio Fausto balançou a cabeça. — Ela vai ser devorada por aqueles urubus se puser um pé pra fora de casa! Não vai adiantar nada a roupa ou o cabelo, eles vão arrancar tudo, puxando a menina pra todos os lados!

Ele abriu um pouco a cortina e pudemos ver de relance que uma multidão de fotógrafos permanecia de plantão.

Todos ficaram em silêncio, mas depois de um tempo, minha mãe veio com a solução.

— Já sei! Podemos escolher uma emissora de TV de boa credibilidade e dar a ela exclusividade. Assim, a Áurea conta a história verdadeira e não é massacrada pelos repórteres. Que tal?

Aquela era realmente uma boa ideia... Todos concordaram, e então tudo que tivemos que fazer foi escolher o canal.

Meus tios fizeram o contato, oferecendo a entrevista exclusiva, mas os jornalistas ficaram tão empolgados que sugeriram uma ampliação... Em vez de uma entrevista, eles queriam fazer um documentário, contando a história desde o início, começando antes mesmo do meu nascimento, ainda na época em que meus pais se conheceram.

Fiquei meio sem graça com a possibilidade de todo mundo ficar sabendo da minha vida com tantos detalhes, mas sendo sincera eu mesma estava bem curiosa. Seria interessante ver o que eu perdi e do que eu não me lembrava. Seria como juntar as peças de um quebra-cabeça.

Tão logo as gravações começaram, porém, me arrependi. Aquilo era tão exaustivo! A repórter do documentário me fazia as mesmas perguntas milhares de vezes. Mas o pior foi quando eu percebi que teria que falar de um assunto que eu estava tentando ao máximo evitar... O meu envolvimento com o Phil.

Uma coisa era abrir meu coração para a Clara ou a psicóloga da escola. Outra, completamente diferente, era contar para uma repórter, com a minha família inteira prestando atenção no fundo, e sabendo que o mundo inteiro teria acesso ao que eu dissesse!

Por isso, avisei que eu não queria falar sobre aquilo, mas aquela repórter era do tipo que não sabia receber um não...

— Áurea, pense bem... Essa é a parte mais importante do documentário e vai fazer de você a nova queridinha do Brasil! Quem nunca sofreu por amor? Você vai comover milhares de pessoas com o seu relato! Imagine só a chamada: "Eu me apaixonei pelo inimigo". Uau! Isso pode até virar um filme!

Eu não queria que virasse um filme! Ainda que fosse um curta-metragem, aquilo ficaria imortalizado... E tudo que eu mais desejava era esquecer aquela parte da minha vida para sempre! Não, de jeito nenhum! Ou eles fariam o documentário sem incluir o Phil ou nada feito.

Expliquei isso para a repórter, que só faltou implorar para que eu mudasse de ideia. Foi quando o tio Fausto falou:

— Rosa, concordo com você e sei que falar daquele garoto é como tocar em uma ferida aberta. Mas talvez liberar toda essa dor na frente das câmeras não seja uma má ideia...

O quê? Ele queria que eu sofresse em público? Eu sabia que o tio Fausto adorava uma plateia, mas ele me conhecia melhor do que isso. Eu preferia guardar meus sentimentos só para mim!

Antes que eu pudesse discordar, ele explicou:

— Ao contar para o mundo sobre seu sofrimento, ao explicar como aquele rapaz te conquistou e te enganou, você vai sensibilizar as pessoas! Assim, se no final você fizer um apelo, pedindo que quem souber do paradeiro dele se manifeste, tenho certeza de que você vai ajudar a polícia. Qualquer pessoa com o mínimo de decência vai querer que a justiça seja feita! Esse menino tem que pagar por ter te magoado tanto.

Aquilo me fez pensar. Eu queria mesmo que ele pagasse? No fundo do coração, eu ainda achava que tinha alguma coisa errada, que ele não seria capaz de fazer maldade nenhuma comigo... Que ele ia aparecer e explicar tudo. Não era possível que alguém atuasse tão bem assim! Apesar de nunca termos nos visto pessoalmente, todos os minutos que passamos conversando me fizeram pensar que eu o conhecia de verdade...

De repente, algo veio à minha mente. Com todos os acontecimentos, eu tinha esquecido completamente que, no nosso último telefonema, ele tinha dito que havia algo que queria me contar... Que tinha me ocultado uma coisa!

Agora tudo estava começando a fazer sentido. As engrenagens do meu cérebro começaram a girar. Todos os fatos foram se encaixando.

Com certeza tinha sido isso que tinha acontecido: por alguns minutos, talvez por pena, o Phil deve ter pensado em me contar a verdade. Que ele não era quem eu achava, que tinha se aproximado de mim apenas para ajudar a Malleville! E então ele viajou, e durante a viagem deve ter pensado melhor e chegado à conclusão de que não valia a pena, que ele poderia lucrar ainda mais se continuasse a guardar o segredo.

De repente uma raiva começou a crescer no meu peito. Quanto será que ele tinha recebido pelo trabalho de ficar conversando comigo? Por me fazer acreditar que estava apaixonado?

Rancor e tristeza começaram a se misturar dentro de mim. De repente, senti a maior vontade de chorar, e então disparei:

— Eu topo falar sobre ele!

A jornalista até bateu palmas.

— E quando podemos gravar seu depoimento? — ela perguntou.

Olhei para o cinegrafista, que estava bem ao lado dela, e fiz sinal para que ele se posicionasse com a câmera.

— A ideia não é sensibilizar as pessoas? — perguntei.
— Então podemos começar agora.

Foi aí, enquanto expunha toda a minha tristeza para o mundo, que deixei cair cada uma das lágrimas que eu vinha segurando desde o momento do meu despertar...

Capítulo 19

— Áurea, estamos quase lá, querida! Você pediu pra te acordar antes de chegarmos a Vaduz, porque você queria ver o castelo de longe...

Abri os olhos depressa, olhando pra todos os lados. Custei para entender onde eu estava. Nos últimos dias eu vinha cochilando o tempo inteiro. A diferença de fusos horários estava acabando comigo! A Europa tinha cinco horas a mais em relação ao Brasil, e eu ainda não tinha me adaptado totalmente, apesar de já estar viajando com meus pais há mais de uma semana.

Olhei pela janela a tempo de ver um castelo aparecer na paisagem, logo depois de uma curva na estrada. Ele não parecia muito grande, mas era lindo, com as montanhas ao fundo... As encostas delas eram verdes, mas o topo era bem branquinho. Neve. Apesar de ser quase verão no hemisfério norte, minha mãe explicou que algumas montanhas possuíam neve eterna, que não derretia nunca! Achei aquilo tão perfeito que eu não parava de suspirar a cada vez que via uma. E agora eu estava percebendo que montanhas assim também faziam parte do cenário da cidade onde estávamos chegando: Vaduz, a capital de Liechtenstein.

Enquanto a gente se aproximava e o castelo ia ficando cada vez maior, minha mente vagou para o momento em que meus pais sugeriram a viagem.

O documentário sobre a minha vida tinha sido exibido no dia anterior e, ao contrário do que pensávamos, ele não serviu para sossegar a imprensa, muito pelo contrário. Além de todos os jornais e revistas que já queriam entrevistas, imediatamente vários programas de TV também começaram a exigir a minha participação.

Se eu já não conseguia sair de casa antes do documentário, agora meus tios pensaram até em contratar seguranças, por receio de que alguém pudesse invadir nossa casa. Comecei a pensar que eu havia sido muito injusta com eles quando os acusava de serem superprotetores por não me deixarem sair com as minhas amigas... Agora eu sabia o que era ficar presa de verdade! A gente não podia nem abrir as janelas! Várias pessoas estavam amontoadas por todos os lados, ansiosas para me ver pelo menos de relance.

Foi quando o meu pai me fez o convite. Ele sugeriu que a gente viajasse pelo menos até que as coisas se acalmassem, até que outra história sensacionalista aparecesse e desviasse a atenção do público e dos repórteres.

— Seus avós estão muito ansiosos para rever você — ele disse. — Eles ainda moram em Liechtenstein, apesar de sua mãe e eu termos voltado para a França logo que sua "morte" foi anunciada. Podemos ir de avião até Paris, para você conhecer nossa casa e a cidade. Lá pegamos o carro e vamos passeando... Podemos passar pelo sul da França e também pela Suíça, até chegarmos em Vaduz, a capital de Liechtenstein. O que você acha?

A princípio, fiquei meio receosa; não queria deixar a minha vida para trás. Eu tinha minhas amigas tão queridas, meus animais de estimação, que sempre me fizeram companhia, meus estudos, que eu precisava terminar... E meus tios. Eu não podia me imaginar longe deles.

Mas na verdade foram os três que me convenceram a aceitar a proposta do meu pai.

Eu estava no meu quarto e, sem conseguir resistir, liguei o computador e fiquei olhando a foto que o Phil havia me mandado. O meu celular havia sido confiscado pela polícia, para tentarem rastrear de onde vinham as mensagens, mas por sorte (ou não) eu tinha salvado a fotografia antes.

De repente, caí na real e percebi que estava sendo ridícula. Ele nem devia ser assim! Provavelmente tinha pegado aquela foto de um banco de imagens, e eu permanecia encantada pelo sorriso de uma pessoa que nem sabia quem era, um modelo qualquer, que nem imaginava que um impostor havia usado seu retrato para enganar alguém!

Desliguei o computador e me joguei na cama. Se ele não era de verdade, por que a dor que eu estava sentindo no peito parecia tão real? Por mais que eu lutasse contra as minhas lágrimas, elas insistiam em cair, dia após dia.

Uma batida na porta fez com que eu enxugasse o rosto depressa.

— Rosa, podemos entrar? — Ouvi a voz do tio Florindo e logo em seguida a do tio Fausto, dizendo baixinho que eu provavelmente não estava dormindo, pois tinha acordado muito tarde. Percebi que o tio Petrônio também estava junto, pois mandou os outros dois me deixarem em paz.

— Entrem! — falei, me levantando. Eu sabia que meus tios iam perceber que eu estava chorando, mas já havia desistido de esconder isso. Eles provavelmente estavam acostumados.

Os três se sentaram na beirada da minha cama e ficaram se entreolhando, parecendo estar resolvendo quem iria falar primeiro.

O tio Petrônio se decidiu:

— Rosa, a gente veio aqui para te dar uma bronca.

Olhei para eles sem entender. Bronca por quê? Eu não estava fazendo nada atualmente, além de ir do quarto pra sala, da sala pra cozinha e da cozinha pro quarto... Em que confusão eu poderia ter me metido para merecer uma repreensão deles?

— Na verdade, a gente veio te dar um castigo — o tio Fausto explicou —, por algo que você prometeu e não cumpriu.

Continuei a olhar para eles sem entender. Então o tio Florindo concluiu:

— Você jurou que não falaria com estranhos, que não daria informações confidenciais e que, se conhecesse alguém especial, contaria pra gente...

Ah, aquilo. Eu pensava que já tinha sido desculpada por ter quebrado aquelas regras; afinal, eu já havia sido castigada o suficiente.

Apenas dei de ombros e disse que eles poderiam me repreender como quisessem. Nada poderia me deixar mais triste do que eu já estava.

— É exatamente isso — o tio Fausto voltou a falar. — Como castigo por ter desacatado nossas ordens, queremos que você pare de se martirizar agora, de pensar em tudo o que aconteceu e viaje com seus pais!

— Você tem só 16 anos, querida... — O tio Florindo passou a mão pelo meu cabelo. — Está começando sua vida agora. Pare de sofrer por um garoto que não te merece! Você vai arrumar muitos outros namorados. O primeiro amor é sempre mais difícil de esquecer, mas uma hora a tristeza passa.

— E com certeza vai passar muito mais depressa viajando pela Europa do que trancada aqui nesse quarto! — o tio Petrônio completou.

Expliquei para eles que não tinha a ver com o Phil. Eu não podia viajar porque tinha minhas amigas, meus bichos, minha escola... e *eles*.

— Nós podemos ir com vocês! — eles retrucaram praticamente ao mesmo tempo.

— O seu pai nos convidou também — o tio Florindo explicou. — Ele quer nos dar a viagem de presente, em retribuição por ter cuidado de você durante todos esses anos! Vamos tirar férias especialmente para isso!

— E quanto aos seus bichos — o tio Petrônio interveio —, sua avó já falou que quer passar um tempo no Brasil... Ela pode tomar conta deles enquanto a gente aproveita essa folga!

— Sobre sua escola, a diretora já avisou que você pode fazer segunda chamada das provas depois que voltar de viagem. Ela concorda que você precisa de um tempo para se recuperar de tudo que passou! Já é quase férias mesmo — o tio Fausto emendou.

— E suas amigas não vão a lugar nenhum... Daqui a um mês você mata a saudade da Clara e de todas as outras! — o tio Florindo finalizou.

Eles ficaram me olhando e de repente uma euforia tomou conta de mim. Eles iam também?

— Vocês vão comigo?!

Os três me abraçaram, e por um momento eu esqueci os meus problemas. Religuei o computador, mas agora eu não planejava mais ver foto nenhuma. Eu queria mesmo era pesquisar sobre o nosso destino, o país da família do meu pai... Liechtenstein!

Enquanto relembrava tudo isso, voltei a observar o castelo. Dez dias haviam se passado desde o momento em que eu havia aceitado viajar. Meus pais ficaram imensamente felizes e compraram as passagens para o primeiro voo que encontraram. Meus tios ainda precisariam trabalhar por mais de uma semana, por isso iriam nos encontrar em Vaduz. Na verdade, acho que isso foi apenas uma desculpa para me deixarem sozinha com meu pai e minha mãe por um tempinho, o que acabou sendo muito bom para que eu pudesse conhecê-los melhor. Comecei a reconhecer nos dois várias das minhas manias e expressões e fiquei surpresa com o quanto nos aproximamos tão depressa. Com uma semana de viagem, depois de conhecer parte da França e da Suíça ao lado deles, era quase como se nunca houvéssemos nos separado. E, no entanto, 11 anos haviam se passado desde que eu havia deixado aquele país, onde estávamos chegando agora.

— Nós vamos direto pra casa dos seus avós — meu pai explicou. — É lá que vamos ficar hospedados. Mas não se preocupe, você vai ter tempo pra conhecer o castelo. Meu primo, o *famoso* príncipe, mora lá com a família dele, e já está ansioso para te conhecer. Ele não fala português, mas vocês vão poder se comunicar em inglês ou francês...

Eu estava começando a entender por que os meus tios sempre tinham insistido para que eu estudasse várias línguas. Eu iria precisar daquilo para conversar com minha família paterna. Se eu soubesse, teria estudado também alemão, a língua mais falada em Liechtenstein!

Assim que chegamos à casa dos meus avós e tocamos a campainha, uma senhora de olhos azuis iguais aos meus abriu a porta. Imediatamente soube quem ela era.

— Áurea, esta é sua avó — meu pai apresentou, confirmando minha suspeita. Ela me abraçou e começou a falar em francês o quanto tinha sentido minha falta. Pode parecer estranho, mas tenho certeza de que eu me lembrei dela! Talvez fosse o cheiro, o abraço, ou até o ambiente, mas comecei a recordar de fragmentos da minha infância. Ela então abraçou também os meus pais e em seguida me pegou pela mão e me levou até um quarto. Meu coração disparou ao reconhecer alguns brinquedos na estante! Era ali que eu tinha passado grande parte dos meus dias até os 5 anos. Mesmo só tendo morado naquela casa depois que as ameaças da Malleville começaram, antes nós viajávamos muito para visitar meus avós.

Uma sensação de aconchego me invadiu e eu fiquei feliz por estar ali. Eu me senti em casa.

Mais tarde, também conheci o meu avô. Os dois me levaram para dar um passeio pelo centro de Vaduz, que mais parecia uma cidade de brinquedo. Ela era bem turística e, pelo que eles me disseram, as pessoas iam lá o tempo todo para tirar fotos do castelo. O volume de turistas era tão grande que até tiveram que fechar o lugar para visitação, pois o sobrinho dela, o atual príncipe, realmente morava lá.

— Ele vai dar uma festa na sexta-feira, para comemorar algum acordo diplomático, e falou que faz questão da sua presença — minha avó me comunicou. — Sua mãe me contou que você está louca pra ver o castelo por dentro! Quando eles fazem festas, ele fica ainda mais bonito, acho que você vai gostar. Não vai ser uma comemoração grande, apenas uma recepção para alguns conhecidos da família. Seus pais irão, e alguns amigos deles também.

Aquilo me deixou muito empolgada! Eu iria conhecer um castelo de verdade!

Por isso, quando voltamos para casa, perguntei se eu poderia usar o computador. Eu precisava contar aquela novidade para a Clara e ia tentar encontrá-la on-line em alguma rede social. Desde o começo da minha viagem vínhamos nos comunicando apenas por e-mail, por causa da diferença do fuso horário.

Assim que abri o chat, porém, levei o maior susto. Ela estava off-line, mas tinha deixado várias mensagens. E o conteúdo delas quase me fez cair da cadeira...

 Onde você está? Já viu os noticiários?

Vou contar, espero que você não morra do coração nem nada parecido.

 O Phil apareceu. Ele se entregou para a polícia. E no depoimento disse que não tem culpa nenhuma...

 E que está completamente apaixonado por você!

• *Capítulo 20* •

Eu nem sei explicar o que senti depois que li as mensagens da Clara. Os dias na Europa com meus pais haviam feito com que eu me desligasse daquela história, mas, ao ler aquilo, tudo voltou... E em dobro. Eu já tinha me conformado que não o veria nunca mais... Só que eu estava errada. Ele tinha aparecido e estava dizendo exatamente aquilo que eu havia sonhado por tantos dias... Que a culpa não era dele. E que gostava de mim.

Abri depressa um site de notícias para entender direito o que estava acontecendo. De cara vi que a primeira manchete era sobre ele.

Vilão que conquistou Áurea Bellora se entrega e diz: "Sou inocente."

A matéria vinha com uma foto dele no momento em que chegava à delegacia. Apesar de não estar muito nítida, meu coração apertou ao constatar que ele era real, que a foto que havia me mandado realmente era dele! Então ele não tinha mentido, pelo menos não quanto a isso.

Sem conseguir resistir, dei um zoom e fiquei olhando por um tempo. Tão lindo... Toquei a tela, desejando sentir a textura da pele dele.

De repente, desabei. Quem eu estava tentando enganar? Eu só havia viajado para fugir, apenas por não aguentar mais pensar nele... Por achar que o fato de conhecer lugares diferentes iria me distrair. Mas agora eu via que estava enganada. Ele continuava totalmente presente no meu coração, por mais que eu fizesse força para expulsá-lo de lá.

Minha mãe entrou no quarto naquele exato momento, por isso reduzi a foto depressa.

— Filha! — Ela veio correndo para o meu lado. — Por que você está chorando?

Eu não disse nada, apenas apontei para a tela. Ela então começou a ler a matéria completa.

Surpreendendo o mundo inteiro, o suposto cúmplice de Marie Malleville — a mulher que tentou sequestrar e matar Áurea Bellora — se entregou à polícia, depois de vários dias desaparecido. Em seu depoimento, ele contou que foi tão vítima quanto Áurea.

"Viajei para o exterior e durante a viagem tive meu celular roubado. Antes do dia do crime, eu só havia visto a Marie Malleville uma vez. Nem me lembrava dela e me assustei quando percebi que se tratava da mesma pessoa. Só não apareci antes porque tive que avisar aos meus pais, que moram na Europa, pedir que contatassem um advogado, e reunir todas as evidências para provar que eu sou inocente. Tudo o que mais quero agora é falar com a Rosa, para explicar que não tive culpa nenhuma. Que todas as minhas palavras foram sinceras. Que ela me conquistou."

Segundo a polícia, as provas que o rapaz apresentou são verossímeis. Ele realmente esteve no exterior, e seu telefone foi roubado na ocasião, segundo um boletim de ocorrência feito na França. A polícia ainda está investigando o caso, mas ele foi liberado.

Áurea Bellora — ou "Anna Rosa" o nome que ganhou ao vir morar no Brasil — está viajando com os pais e pelo visto nem sabe dos últimos acontecimentos. Os tios dela já avisaram que não vão perturbar a menina, que ainda está se recuperando do abalo emocional causado pelos fatos recentes. ∎

— Filhinha. — Minha mãe me abraçou. — Não fique assim. Que bom que o garoto apareceu! Agora pelo menos essa história pode ser tirada a limpo. Mas quer um conselho? Não se precipite. Vamos deixar a polícia terminar a investigação e ver se ele está realmente falando a verdade.

Eu sabia que ela estava certa, mas minha vontade de falar com o Phil aumentava a cada minuto.

— Olha só, tenho uma ideia — ela continuou. — Lembra daqueles nossos amigos que moram na França?

Aqueles que também são brasileiros, que você ia conhecer, mas que infelizmente tiveram que viajar para o Brasil exatamente na semana que passamos em Paris?

Eu me lembrava. A minha mãe cismou que eu tinha que conhecer o filho deles. Ou melhor, rever. Segundo ela, o garoto era o tal que tinha me salvado no batizado.

— Vocês eram tão amigos quando crianças — ela dizia. — Quero muito ver esse encontro 11 anos depois!

Por sorte, eles estavam viajando, e assim eu não tive que passar pelo constrangimento de ter que agradecer a ele por ter salvado a minha vida mesmo sem me lembrar disso.

— Pois então — minha mãe falou antes que eu respondesse. — O Henrique é diplomata na França e certamente está por dentro desse assunto, já que a Marie Malleville era francesa. Vou pedir pra ele aproveitar que está no Brasil e averiguar essa história. Não se preocupe. Se esse moço estiver falando a verdade, nós vamos descobrir. Até lá, aproveite! Seus tios vão chegar em breve e na sexta-feira tem a festa... Desliga esse computador e vamos dar uma volta! Quero te ver feliz!

Ela estava se esforçando tanto que eu até sorri, apenas para não desapontá-la.

Porém, tão logo ela se afastou, eu comecei a raciocinar.

Se a Malleville só descobriu onde eu estava por causa do celular do Phil, como soube quem ele era? Ela não tinha como saber que nós conversávamos caso não o conhecesse. Inclusive ele confirmou isso, pois no depoimento falou que já tinha encontrado com ela uma vez. Aquela história estava muito mal contada... Ele podia até não ser totalmente culpado, mas algum envolvimento com aquela mulher ele tinha. Afinal, eu não conseguia esquecer que ele havia dito que precisava me contar algo. Se não fosse isso, o que mais poderia ser?

Depois de passar metade da noite pensando, cheguei a uma conclusão: ele tinha mentido para mim. Eu não sabia exatamente sobre o quê, mas alguma peça naquele quebra-cabeça não se encaixava, e eu já não tinha mais certeza se queria descobrir qual era.

No dia seguinte, acordei com a campainha tocando. Sem parar. Eu não tinha a menor ideia de onde os meus pais e avós estavam, mas com certeza não era em casa, senão já teriam atendido à porta. A pessoa lá fora era muito insistente!

Fui até a entrada ainda de camisola e com o cabelo desgrenhado. Eu estava morrendo de sono e ainda precisava dormir várias horas para me recuperar...

Assim que abri, um flash disparou na minha cara.

— Áurea, por favor, conte para nós, você vai perdoar o seu namorado agora que ele afirmou que não estava envolvido no plano da sua sequestradora? Aliás, você acredita nessa história?

O meu sangue começou a ferver. Nem ali, a quilômetros de casa, eu tinha sossego! Como aqueles jornalistas tinham me achado?

Talvez por estar com tanto sono ou por não aguentar mais todas aquelas perguntas que eu não sabia responder, peguei o microfone da mão do repórter e falei olhando para a câmera:

— Me deixem em paz! Essa história é passado pra mim! Não quero mais nada com o Phil! Não estou nem aí se ele está envolvido ou não. O fato é que ele mentiu pra mim, e sabe disso. Além do mais, ele sumiu quando deveria ter vindo correndo me contar a versão dele, enquanto eu ainda esperava por isso! Pois agora não me importa se ele é vítima ou vilão. Não quero mais saber dele. Já estou em outra!

Fechei a porta com força, voltei para a minha cama, e quando consegui pegar no sono novamente, as lágrimas já haviam encharcado todo o meu travesseiro.

• *Capítulo 21* •

Fiquei deitada por quase três dias. Eu não queria sair e me deparar com outros repórteres, por mais que meus pais dissessem que havia sido um caso isolado, que aquele era um correspondente internacional que me reconheceu ao me ver passeando por Vaduz, me seguiu até a casa da minha avó sem ninguém perceber e ainda deu sorte de me pegar sozinha em casa. Mas, apesar de prometerem que a partir de agora iriam estar sempre comigo e que não deixariam que nenhum fotógrafo se aproximasse, eu estava traumatizada.

Aquela foto minha com a cara inchada de choro e sono tinha ido parar em todos os jornais do Brasil e de Liechtenstein, e várias emissoras de TV haviam exibido o meu vídeo gritando com o repórter. Eu realmente não precisava passar por aquilo outra vez.

Por isso, eu ficava dormindo durante a maior parte do tempo. Assim podia esquecer a realidade e viver em um mundo onde tudo era perfeito... o dos meus sonhos.

No terceiro dia, porém, acordei sentindo uma cosquinha no nariz Ainda meio dormindo, passei a mão pelo rosto e me deparei com uma pena. Pensando se tratar de um passarinho, abri os olhos depressa. Não acreditei no que vi. Ou melhor, em *quem* vi.

— Tio Petrônio! — Praticamente pulei nos braços dele, que estava achando a maior graça por ter me acordado fazendo cócegas. — Pensei que vocês fossem chegar só no fim de semana!

— A saudade era muita, Rosinha... — o tio Fausto disse, se levantando detrás da cama, onde estava escondido.

— Muita mesmo, então tivemos que antecipar a passagem! — O tio Florindo saiu de dentro do armário, completando meu trio favorito.

Eu mal podia acreditar! Como eu tinha sentido saudade deles!

— Nós trouxemos presentes! — o tio Fausto disse, me entregando uma caixa.

Abri correndo e vi que lá dentro tinha várias coisas, que fui tirando aos poucos.

Primeiro, muitas fotos dos meus gatos, coelhos, passarinhos e cachorros, que me fizeram ter vontade de entrar dentro delas! Como eu sentia falta deles! Bem que eles podiam ter trazido todos os meus bichinhos também...

Depois, vários bombons e balas. Meus tios continuavam querendo me mimar!

Em seguida tirei um vestido. Era lindo! Cor-de-rosa, com uma saia meio rodada, com tule! Olhei para o tio Florindo e sorri. Eu sabia que ele era o responsável por aquela escolha.

Por último, encontrei uma carta.

— A Clara deixou esse envelope lá em casa — o tio Petrônio explicou. — Ela falou que não é dela, que prefere conversar com você pela internet, mas pediu pra te entregar. Acho que é de uma amiga de vocês.

Abri curiosa para ver qual das meninas tinha me escrito, e então tive a maior surpresa!

Querida Áurea. Ou Anna Rosa. Sei lá como é seu nome verdadeiro! Não sei se você se lembra de mim, mas sou a Cintia, a DJ Cinderela, e te conheci uma vez no bar do noivo da minha tia onde eu estava tocando. E é exatamente aqui que estou agora. Desta vez não estou trabalhando, vim para curtir, e por coincidência encontrei sua amiga Clara. Expliquei que precisava falar com você, ela então me contou que você está viajando e sugeriu que eu te escrevesse, pois ela poderia entregar a carta para os seus tios, que pelo que ela me disse irão te encontrar em breve. Bem, como você está vendo, eu escrevi. E se você está lendo isso é porque eles já estão com você.

 Lembra que no dia em que nos encontramos eu falei pra você escolher uma música, por ser seu aniversário? Pois bem. Logo depois que você se afastou, um garoto se aproximou. Eu já o conhecia, ele tinha vindo aqui algumas poucas vezes, inclusive em uma delas era o aniversário dele e ele estava sozinho... Lembro que fiquei morrendo de pena, porque acho que ninguém deve comemorar o aniversário sem a família ou os amigos. Mas ele me explicou que morava em outra cidade e que só estava passando férias aqui. Eu perguntei se ele não tinha namorada, e ele contou que já havia tido algumas, mas que nenhuma nunca tinha feito com que ele esquecesse uma menininha que foi o primeiro amor dele, ainda na infância. Tudo que ele mais queria era saber onde encontrá-la e como ela estaria agora...

 Por isso, quando se aproximou daquela vez e perguntou quem era a garota que tinha acabado de sair daqui, ele estava com os olhos mais brilhantes que eu já tinha visto, e vi ali uma chance de fazê-lo esquecer a tal menina, que ele provavelmente nunca mais veria na vida. Então eu só falei o seu nome e fingi não perceber quando ele olhou o telefone que você havia anotado no meu caderno. Lembra? Você deixou o seu número para que eu pudesse te avisar quando fosse tocar outras vezes. Te peço mil desculpas por ter permitido isso, juro que eu não costumo divulgar os telefones desse caderno, mas é que você tinha acabado de me falar que gostaria de encontrar um grande amor... E então ele apareceu querendo saber quem você era. Achei que o destino queria que me fazer de Cupido naquele momento, então fui em frente.

Porém, na semana passada, ele apareceu no bar novamente e me contou o que aconteceu. Eu já tinha ouvido sobre o caso na imprensa, mas não tinha associado que vocês dois eram os "protagonistas"! Mas, enfim, o Phil me falou que tudo não passou de um mal-entendido. Que pensaram que ele era cúmplice de uma mulher que tentou te matar. E que você não quer escutar o que ele tem a dizer...

Que história, hein? Até parece um conto de fadas. Por isso mesmo vou te dar um toque: príncipes encantados não existem. Eu também vivi uma história que até parece de princesa, mas posso te afirmar que meu príncipe é de carne e osso. Apesar de parecer perfeito, ele tem defeitos... Às vezes erra, às vezes mente, mas é isso tudo que faz dele uma pessoa real.

O Phil pode ter errado em não te contar toda a verdade, pode ter sumido sem dar satisfações, mas isso também mostra que ele é um ser humano, com seus receios e confusões. Mas uma coisa é certa: ele gosta realmente de você, porque eu nunca vi alguém tão triste como da última vez em que o encontrei... Lembra daquela menininha de que ele gostava na infância? Pois posso afirmar que você fez com que ele a esquecesse. Você se tornou o amor da vida dele.

Não sei se ele merece seu perdão, mas posso dizer com certeza que o Phil está sendo sincero. Ele inclusive me disse que tinha planejado te contar que tinha "roubado" seu telefone da minha lista, que chegou a te avisar que tinha ocultado algo e que te contaria assim que vocês se encontrassem... É uma pena que ele não tenha tido a chance de fazer isso, mas pelo menos eu estou contando que era essa a intenção.

Anna Áurea Rosa, só estou te escrevendo para pedir que você não deixe a felicidade escapar. Você não me disse que queria alguém que te amasse de verdade? O destino te ouviu. Não jogue isso fora.

Um grande beijo e espero que você venha me ver tocar mais vezes. Aliás, espero que você venha com o Phil. ♡

Um grande beijo,
Cintia (DJ Cinderela)

Ler aquilo foi como solucionar todos os mistérios do mundo. Pelo menos os do *meu* mundo. Então era só isso que ele queria me contar... Como havia conseguido meu telefone! E eu pensando que ele ia confessar que estava envolvido na trama da Malleville!

Eu estava tão leve que não conseguia parar de rir. Ele realmente era inocente... Eu ainda não sabia como aquela bruxa tinha descoberto que ele estava em contato comigo, mas aquilo com certeza não era culpa dele. Eu já sabia que ela era maldosa e esperta o suficiente para conseguir aquela informação de alguma forma. A partir daí, roubar o telefone dele deve ter sido a parte mais fácil...

— Mãe, pai, tios, avós! — saí gritando pela casa. Encontrei toda a minha família sentada à mesa, almoçando. Olhei para o relógio e vi que já era uma da tarde! Eu devia ter acordado mais cedo... — Quero voltar pro Brasil! Hoje!

Todos me olharam como se eu tivesse contado uma piada. Continuaram comendo, como se não tivesse tido nenhuma interrupção.

— É sério! — falei, me sentando à mesa. — Será que vocês podem adiantar a minha passagem?

Ainda faltavam 15 dias para a minha data de volta, no final de julho. Mas eu tinha certeza de que passar o resto das minhas férias no Brasil seria muito mais interessante.

— Áurea, é impossível você ir embora hoje... — meu pai falou calmamente, repousando o garfo no prato. — Seu voo de volta sai de Paris. São sete horas de carro até lá. Na vinda você não sentiu toda essa distância porque fizemos várias paradas, mas se saíssemos daqui agora, só chegaríamos lá às oito da noite.

— Amanhã então? — falei, irredutível. Eu queria ir embora e iria nem que tivesse que atravessar o oceano a nado!

— Mas amanhã é a festa! — minha mãe interveio. — Nós já confirmamos nossa presença, e não é de bom tom faltar. A família do príncipe preza muito as formalidades. E, além do mais, tenho uma surpresa pra você...

Eu não queria saber de surpresa nem formalidade nenhuma! Será que eles não entendiam que eu precisava sair daquele país o mais depressa possível?

— A minha amiga que mora na França, aquela que é casada com o diplomata, já voltou do Brasil! Eu a convidei para a festa, pois o príncipe falou que poderíamos

• 172 •

convidar alguns amigos. Ela vem com o marido e o filho, o garoto que te falei, aquele que...

— ... me salvou no batizado! — eu interrompi. — Já sei desse caso, mas não quero nada com esse menino. Agradeço muito por ele estar no lugar certo na hora certa, mas o tempo passou! Aposto que ele também não tem a menor curiosidade de saber como eu estou!

Minha mãe pareceu meio horrorizada e falou:

— Ele tem muita curiosidade, sim! Todos esses anos, sempre que íamos à casa deles, ele me perguntava como você estava! A família dele era a única que sabia que você estava viva, pois, por ele ter te salvado, achei que devia isso a eles e contei a verdade. Ele inclusive me perguntou algumas vezes em que cidade você estava morando, mas isso eu preferi não revelar, pois com certeza Marie Malleville seguia cada passo dele também. Como a família vai muito ao Brasil por causa dos negócios, fiquei preocupada que ele pudesse tentar entrar em contato em alguma das vezes e estragar seu esconderijo. Por isso, posso dizer com certeza que ele quer muito te rever!

— E, se você não for à festa, não vai usar o vestido que comprei pra você... — o tio Florindo disse com a expressão triste. — Eu o escolhi quando soube que você iria a uma festa no castelo! Ele é digno de uma princesa!

— Nós acabamos de chegar, Rosa... — o tio Fausto falou. — Não está feliz por nos ver? Estávamos tão ansiosos para conhecer um pouco da Europa a seu lado! Foram tantos anos sem tirar férias.

Por tudo isso, respirei fundo e falei que eu ficaria até domingo, se me prometessem que eu poderia ir embora na segunda-feira. Só mais quatro dias... Eu conseguiria aguentar.

Eles bateram palmas, e então brindaram a mim. À minha liberdade. À minha vida.

No dia seguinte, fiquei pronta muito antes do horário da festa. O tio Florindo fez questão de me arrumar e ao olhar no espelho percebi que ele tinha feito um ótimo trabalho. Ele conseguiu que eu ficasse linda... Mas em vez de aquilo me deixar feliz, fiquei triste. Era a segunda vez que um vestido bonito me deixava para baixo. A primeira tinha sido na apresentação da escola. E agora ali. Era um desperdício estar tão deslumbrante se o Phil não podia me ver assim.

Na hora de sair de casa, minha mãe perguntou:

— Preparada para conhecer o castelo?

Apenas fiz que sim com a cabeça, e ela então me ajudou a entrar no carro.

O que eu não sabia era que não seria apenas o castelo que conheceria naquela noite...

Capítulo 22

—Áurea, finalmente te encontrei! — escutei a voz da minha mãe atrás de mim. — O garoto de quem eu tanto te falei chegou! Não quis contar antes, pra não estragar a surpresa, mas pode ser que você o conheça de algum lugar... Vou chamá-lo.

Claro que eu o conhecia de algum lugar. Será que minha mãe tinha esquecido que havia me contado aquele caso umas 50 vezes? Ele era o menino que tinha me salvado no batizado.

Eu estava sozinha na sala de música do castelo. Já havia conhecido o príncipe e sua família, e também vários outros convidados. Todos sabiam a minha história e ficavam muito felizes ao constatarem que eu realmente estava viva e riam muito ao se lembrar do terrível caroço de ameixa com o qual eu supostamente tinha morrido engasgada aos 5 anos.

— Cuidado com a sobremesa, querida... — Parecia que todas as pessoas tinham ensaiado essa fala. — Ouvi dizer que o príncipe vai servir um doce de ameixa!

Era brincadeira, claro, mas não tinha a menor graça. O pior é que eu tinha que rir, para não parecer mal-educada. Foi por isso que me refugiei na sala de música. Eu não aguentava mais aquelas piadas...

A sala era bem grande e tinha muitos instrumentos. Eu me sentei ao piano e comecei a tocar uma melodia. Não uma qualquer: *Rainbow*. Eu havia passado muito tempo sem conseguir ouvir aquela música, com medo de que ela me deixasse ainda mais triste... Mas agora ela combinava com a minha vida, que estava colorida novamente.

Eu estava cantando baixinho, quando tornei a ouvir a voz da minha mãe ao fundo.

— Filipe, essa é minha filha. Espero que você cuide bem dela, assim como cuidou no passado...

Dizendo isso, ela fechou a porta, nos deixando sozinhos. Eu então me levantei devagar, sem a menor vontade de conhecer aquele menino. Ou melhor, de rever. O único garoto com quem eu queria conversar estava a milhares de quilômetros de distância.

— Então foi você que salvou minha vida quando eu era um bebê... — falei, me virando. Quando ergui os olhos, porém, meu coração deu um salto. — Phil! — exclamei quando consegui encontrar a minha voz. Eu estava tão surpresa que até me sentei novamente.

Ele estava com um sorriso tímido e pessoalmente era ainda mais bonito do que nas fotos.

— Desculpa, eu quis te ligar, mas sua mãe me fez prometer que guardaria segredo até o dia da festa. Ela queria fazer uma surpresa...

Ela tinha totalmente conseguido!

— Então você e o Filipe são a mesma pessoa?

Era como se dois universos estivessem colidindo na minha cabeça.

— Phil é como meus amigos me chamam. Aí, no dia que te mandei a primeira mensagem, resolvi usar esse apelido, pra ficar mais informal...

— Eu não entendo... — falei, realmente confusa. — Você já sabia que eu era a Áurea? Quer dizer, que a Rosa e a Áurea era a mesma pessoa?

— Eu não descobri até o dia da sua apresentação, no momento que você foi picada pelas abelhas... — ele explicou. — Quando a Marie Malleville começou a contar para o seu professor que tinha conseguido descobrir onde você estava através do meu celular, tudo se encaixou. Eu estava desesperado porque no primeiro dia da minha viagem, que fiz exatamente para contar aos meus pais que eu tinha conhecido uma menina especial no Brasil e que queria pedir transferência da faculdade para lá, eu perdi meu celular. Nós estávamos em um café, eu o procurei em todos os lugares e então cheguei à conclusão que devia ter sido roubado. Mas eu não poderia imaginar que tinha sido pela Malleville, que provavelmente ficou vigiando a minha família por todos esses anos também! Nem desconfiei que meu aparelho pudesse estar nas mãos dela, afinal aquele não era o meu maior problema no momento. Eu estava preocupado com meus pais, que ficaram muito bravos quando contei meus planos para eles. Não queriam que eu morasse sozinho no Brasil por causa de uma desconhecida, e eles tinham outros planos para mim... Já haviam combinado com um casal de amigos que, assim que a filha deles fizesse 18 anos, iriam nos *apresentar*, e tinham certeza de que eu e ela nos apaixonaríamos.

— E por que eles tinham que esperar até ela completar a maioridade? — perguntei sorrindo, pois sabia exatamente de *quem* ele estava falando.

Ele não respondeu, apenas sorriu também e continuou a explicação.

— O motivo maior de revolta dos meus pais é que, durante toda a minha vida, eu havia dito que estava ansioso pra te reencontrar. Eu terminava um namoro atrás do outro, e sempre colocava a culpa no fato de que nenhuma delas era tão linda e doce como você... O que eu sabia que era ridículo, pois você tinha apenas 5 anos da última vez em que a gente tinha se visto! Você poderia ter ficado feia e chata... Mas foi por isso que a minha mãe, depois de muita insistência da minha parte e mil recomendações pra guardar segredo, me revelou onde no Brasil você estava escondida. Quer dizer, só a cidade, que era tudo que ela sabia. No fundo, ela achava que eu não ia te encontrar mas concluiu que essa seria uma boa forma de passar o tempo. Então, assim que minhas férias começaram, entrei em um avião e fui atrás de você. Só não esperava que, em uma certa noite, eu iria conhecer uma aniversariante que me faria esquecer totalmente o motivo da viagem...

Ele chegou mais perto e eu me afastei um pouquinho para o lado, para que ele também pudesse se sentar. O banco do piano era grande, feito para duas pessoas tocarem a quatro mãos com bastante conforto, mas, ainda assim, a proximidade dele fez com que meu coração desse um salto.

Ele continuou:

— Acho que o resto da história você pode imaginar... Eu não sabia o seu número de cor, ele tinha ficado no celular roubado, por isso não pude te mandar nenhuma mensagem durante a viagem. Mas como você tinha acabado de me passar o nome da sua escola e o horário da apresentação, eu me lembrava e voltei ao Brasil especialmente para te assistir. Eu tinha até levado flores pra você, mas quando fui até os camarins para entregar, vi aquela mensagem no seu telefone, como se fosse minha. Sem entender nada, fui até os fundos da escola, mas quando cheguei você já estava sendo picada pelas abelhas.

De repente me lembrei de uma coisa... No momento em que eu estava desmaiando eu o havia visto! Na hora pensei que tinha sido alucinação por causa do veneno, mas agora eu sabia que ele realmente estava lá.

— A sua mãe me falou ontem que você recebeu uma carta da DJ Cinderela, e que ela te explicou como eu consegui seu número — ele continuou. — Desculpa por ter feito aquilo, mas eu realmente precisava falar com aquela menina linda! Foi paixão à primeira vista! Quer dizer, agora sei que aquela não foi bem a primeira vez que eu tinha visto você...

— Como minha mãe sabia que você e o Filipe eram a mesma pessoa? Quer dizer, que o menino com quem eu tinha me envolvido era você?

— Quando estávamos no Brasil, tentando provar minha inocência, sua mãe ligou para a minha, perguntando se meu pai estava por dentro dos últimos acontecimentos sobre a Malleville e se poderia verificar se o depoimento do tal Phil era verdadeiro, se ele realmente não tinha envolvimento com aquela bruxa...

Outra peça do quebra-cabeça se encaixava. Sim, a minha mãe tinha ficado de ligar para os tais amigos, que não havíamos conseguindo encontrar na França exatamente por estarem no Brasil, e pedir para averiguarem sobre o Phil. Então era por isso que eles tinham viajado de repente...

— Minha mãe quase deu um grito quando ouviu a voz da sua, pois vinha tentando contatá-la há vários dias para colocá-la a par da verdadeira identidade do "cúmplice" da Malleville, mas não tinha o telefone da sua família no Brasil. Porém, quando sua mãe descobriu que o tal cara por quem você estava toda encantada e eu éramos a mesma pessoa, ela morreu de rir, pois me conhecia desde garoto e sabia que eu nunca faria mal a ninguém... muito menos a você!

Suspirei, sem conseguir tirar os olhos dele. Era tão como eu tinha sonhado que nem parecia real...

— Sua mãe então ligou para os seus tios, pra delegacia, pra todos os lugares possíveis até conseguir retirar a queixa contra mim. Eles explicaram que eu não tinha nada a ver com a loucura da Malleville, e foi então que a polícia falou que eu estava livre. Nós viajamos assim que possível, pegamos o primeiro voo pra Zurique, que é mais perto de Vaduz do que Paris, onde moramos, e chegamos dois dias atrás. Eu estava louco pra falar com você e explicar tudo. Logo que desembarcamos, minha intenção era correr para a casa da sua avó, mas minha mãe me aconselhou a esperar. Nós havíamos visto aquele seu vídeo, dizendo que não queria mais saber de mim, e ela achou que você realmente estivesse falando sério...

— Mas eu estava falando sério! — respondi, morrendo de vergonha por ele e a mãe terem me visto gritando com o repórter, descabelada e de camisola. — Só mudei de ideia por causa da carta da DJ Cinderela... Quase fui a pé pro Brasil quando li o que ela escreveu! Só desisti porque minha família fez chantagem emocional, dizendo que eu tinha *pelo menos* que vir a essa festa!

— Ainda bem que não foi, senão nos desencontraríamos de novo! Sabia que exatamente no dia em que eu e meus pais chegamos ao Brasil, para provar para a polícia que eu era inocente, você viajou com seus pais para a França? Acho que nos encontramos nos ares...

Aquele destino estava realmente de brincadeira!

De repente me lembrei de algo que eu ainda queria saber.

— Meu professor falou que, no dia que me encontrou caída no jardim da escola, você estava... *abusando* de mim.

Era a única coisa que estava faltando se encaixar. Eu precisava ouvir a explicação dele.

— Ah, aquilo — ele disse, parecendo contrariado. — Seu professor estava tão desesperado que entendeu tudo errado! Eu não estava abusando! Eu estava fazendo respiração *boca a boca*! Vi que você estava parando de respirar e perdendo a cor! Fiquei tão preocupado que não consegui pensar em mais nada — ele falou depressa, como se estivesse se desculpando. — Precisava manter você respirando... E então, quando corri atrás da Malleville e ela sofreu o acidente, vi que era melhor que eu me afastasse, antes que levasse toda a culpa, mas liguei para o pronto-socorro pedindo uma ambulância para você urgentemente!

Espera aí. Os médicos haviam dito que pelo grau da minha alergia e a quantidade de veneno no meu sangue, eu deveria ter sufocado no mesmo instante, e que não entendiam como eu podia ter sobrevivido... Tinha sido por causa disso! Por causa da respiração boca a boca dele! O Phil havia salvado a minha vida... e pela segunda vez!

— Então quer dizer que você me beijou sem a minha permissão? — Fingi estar brava e me levantei. — Primeiro você rouba o número do meu telefone e depois um beijo? O que vai ser agora?

Ele pareceu assustado, talvez pensando que eu ainda estivesse acreditando no que o meu professor tinha contado a respeito do "abuso", mas de repente percebeu que eu estava sorrindo. Ele então sorriu também e se levantou.

— Eu na verdade não considerei o que aconteceu na escola um beijo — ele disse, se aproximando de mim.

— Não? — perguntei, sentindo meu coração acelerar a cada centímetro que sumia entre nós.

Ele apenas balançou a cabeça e parou bem na minha frente. Ficamos uns segundos só nos olhando. Ainda era difícil acreditar que ele era real. Eu havia passado tantas horas admirando o retrato dele, desejando poder puxá-lo de dentro do telefone para a realidade... E agora ele estava ali. Ao alcance das minhas mãos.

Por isso, sem conseguir resistir, levantei um braço para tocar seu rosto, e ele imediatamente me puxou pela cintura, bem devagar. Em seguida aproximou o rosto do meu e falou bem baixinho:

— Eu acho que não. Porque, se fosse um beijo... você retribuiria?

Não precisei responder. Nossos lábios se tocaram antes que qualquer palavra pudesse ser dita.

Depois do que pareceram horas, ele se afastou apenas o necessário para me olhar, dizendo:

— Posso ter roubado seu número e um beijo... Mas foi em legítima defesa. Você roubou algo de mim muito antes!

— Roubei o quê? Quando? — Tentei dar um passo para trás, mas ele impediu, me abraçando mais forte.

— Acho que aos 5 anos de idade... Ou, quem sabe, bem antes, no seu batizado. Só sei que, quando você partiu, foi como se tivesse me apontado uma arma e levado meu coração com você. De uma hora pra outra você desapareceu, e eu não tinha mais com quem brincar... Ficou bem vazio aqui dentro.

Ele colocou a mão no peito, e a expressão dele fez com que eu me lembrasse ainda mais dos meus primeiros anos de vida. Das nossas brincadeiras. E das *promessas*.

— Era o mínimo que eu podia fazer, levar seu coração comigo — falei de repente. — Não é toda garota que recebe um pedido de casamento ainda na infância!

— Você lembra? — ele perguntou, admirado.

Eu também estava surpresa. Não só por me lembrar, mas também por aquilo tudo que eu julgava ter acontecido apenas em algum sonho infantil, ter sido real. Por ele estar comigo desde os meus primeiros anos de vida... e por eu perceber que queria que ele ficasse muito mais.

Eu apenas assenti, e então ele continuou:

— Eu também lembro... E lembro também que você aceitou!

— Não, não... — eu disse, me afastando. — Eu falei que só aceitaria se você prometesse que a gente ia ser feliz pra sempre!

Eu dei um giro, para que a saia do meu vestido rodasse, imitando a Áurea de cinco anos de idade.

Ele então me puxou e me beijou mais uma vez. Foi aí que percebi que aquela menininha não precisava ter se preocupado... Eu não tinha a menor dúvida de que ele iria cumprir a promessa...

• *Epílogo* •

Sequestro envolvendo a família real de Liechtenstein tem um final feliz

A história do sequestro de Áurea Bellora, que começou 16 anos atrás, alcançou um desfecho mais do que satisfatório. Depois da morte da sequestradora, ainda permanecia a ameaça de um cúmplice, que teria seduzido a jovem e estava foragido da polícia. Hoje, porém, uma informação surpreendente foi revelada. O tal garoto — Filipe Hoffel — era o mesmo que tinha sido testemunha da tentativa de sequestro e ajudou a polícia, ao denunciar o esconderijo da vilã. Ele não era um cúmplice, e sim mais uma vítima da psicopata, que o usou para descobrir o paradeiro da menina.

Filipe e Áurea foram vistos juntos em Liechtenstein, Paris e agora no Brasil e, pelo que parece, em breve teremos um novo enlace. Os dois, ao serem indagados pela imprensa, apenas declararam que ainda são muito novos, que têm a vida inteira pela frente, mas que pretendem passá-la inteira de mãos dadas.

É ou não um conto de fadas em pleno século XXI? E nem será necessário ler as últimas páginas. Já dá para saber que esse teve um final feliz. ■

> Joyeux anniversaire à la plus belle princesse du monde![1]

> Merci, mais je ne parle pas aux étrangers.[2]

> Seu francês está perfeito, tenho certeza de que você não vai ter nenhuma dificuldade na faculdade em Paris! Mas que história de "estranho" é essa? Além de estar aqui do seu lado, sou seu noivo desde a infância!

> Já falei que aquele pedido não valeu... Só agora com 18 anos é que posso responder pelos meus atos. E, pra ficar noiva, precisaria de uma aliança.

> Tipo essa aqui? Que tal deixar o celular um pouquinho de lado pra eu colocar no seu dedo?

> Acho que vou desmaiar...

> Eu te acordo com um beijo!

---

[1] Feliz aniversário pra princesa mais linda do mundo!
[2] Obrigada, mas eu não falo com estranhos.

Este livro foi composto nas tipologias !Paul Maul, Adobe Jenson
Pro, AnkeHand, Arial, Averia Serif, Bernard MT, Bodoni Classic
Chancery, Eye Catching Pro, Felt Tip, Trebuchet MS
e impresso em papel off-white no Sistema Cameron da
Divisão Gráfica da Distribuidora Record.